A cada cual su misión

Colección «PROYECTO»
61

Jean Monbourquette

A cada cual
su misión

Descubrir el proyecto de vida

Editorial SAL TERRAE
Santander

Título del original francés:
À chacun sa mission.
Découvrir son projet de vie
© 1999 Novalis, Ottawa (Québec) Canada

Traducción:
Alfonso Ortiz García

© 2000 by Editorial Sal Terrae
Polígono de Raos, Parcela 14-I
39600 Maliaño (Cantabria)
Fax: 942 369 201
E-mail: salterrae@salterrae.es
http://www.salterrae.es

Con las debidas licencias
Impreso en España. Printed in Spain
ISBN: 84-293-1364-8
Dep. Legal: BI-1910-00

Fotocomposición:
Sal Terrae - Santander
Impresión y encuadernación:
Grafo, S.A. – Bilbao

Índice

Agradecimientos 13

Introducción 15
¿A quién van dirigidas estas páginas? 15
La orientación de esta obra 16

PRIMERA PARTE:
NOCIONES GENERALES SOBRE LA MISIÓN

1. **¿Cómo definir la misión personal?** 21
Misión, vocación, visión:
una cuestión de vocabulario 21
¿Cómo definir la misión personal? 22
¿Cómo reconocer la misión personal? 23
¿Cómo descubrir la misión propia? 24
Misión e identidad 26
Particularidades de la misión personal 27

2. **La importancia de descubrir la misión propia** . 34
El tiempo propicio para el descubrimiento
de la misión: la adolescencia y el paso
a la segunda mitad de la vida 34
La misión, fuente de crecimiento personal . . . 38

3. **Y los que rechazan su misión...** 45
Los que no siguieron su misión 45
Los obstáculos reales, las falsas creencias
y las resistencias a la realización
de la misión propia 48

SEGUNDA PARTE:
«SOLTAR PRESA»

4. **Hacer los duelos** 61
   Misión y transiciones 61
   Las pérdidas que van jalonando una vida 63
   El «soltar presa» y sus etapas 67

5. **Curar las heridas
   para descubrir la misión propia** 76
   Curar las heridas gracias al perdón 77
   Las misiones que se derivan de las pérdidas
   y de las heridas 85

TERCERA PARTE:
COMPÁS DE ESPERA

6. **El período de «margen» y de sombra** 91
   Naturaleza del período de «margen» 92
   Período difícil, pero necesario porque fecundo . . 94
   Consejos para vivir bien el período de «margen» . 94
   La sombra, ese tesoro enterrado por miedo 95

7. **La búsqueda de la propia identidad** 105
   Primer ejercicio de «desidentificación»
   o de liberación de las identidades superficiales . . 107
   Segundo ejercicio de «desidentificación» 110
   La simbolización de mi ser auténtico 113

8. **Estrategias para descubrir la misión propia** . . 119
   Tu historia es la matriz de tu porvenir 121
   Los sueños de la adolescencia 126
   Tu misión en la perspectiva de tu muerte 128

9. **Mi pasión, mi misión** 130
   ¿Qué es una pasión? 130
   Las metapasiones 132
   Pasión y patología 132
   Discernir tu misión examinando tu pasión 133

10. **Las llamadas del universo** 142
    Mirada sobre el universo: ¿optimista o pesimista?. 143
    La sincronicidad o la atención
    a las invitaciones fortuitas del universo 148
    Los mensajes de tu entorno 149

CUARTA PARTE:
PARTIR DE NUEVO

11. **Imaginar detalladamente
    la realidad de la misión propia** 155
    Resistencias al compromiso 156
    Descripción detallada de la misión propia 159

12. **La misión en acción** 169
    Evitar la precipitación: asumir riesgos calculados. 170
    Contar con las pruebas en el camino de la misión. 172
    Miedo a las reacciones del entorno 174
    Buscar verdaderos colaboradores 175
    Renovar constantemente el compromiso 177
    Ejercicio de visualización de los obstáculos
    a superar para realizar la misión propia 177

13. **Diario de los descubrimientos de mi misión** . . 181

Bibliografía 195

Dichoso aquel cuya fuerza eres Tú:
¡caminos se abren en su corazón!

Salmo 84,6

Agradecimientos

Deseo manifestar mi agradecimiento al padre *Jacques Croteau,* amigo y colega, que quiso asociarse a mi proyecto de escribir estas páginas. Accedió generosamente no sólo a mejorar el estilo y la claridad del texto, sino también a enjuiciar críticamente mis ideas. *Pauline Vertefeuille* se ofreció amablemente a repasar el texto con sus ojos expertos de periodista capaz de resaltar las ideas-clave. Une vez más, he tenido la suerte de que revisara mi libro *Josée Latulippe;* sabía que lo ponía en buenas manos, ya que Josée lo acogió como si se tratase de su propia obra.

Introducción

Una psicóloga, que trabaja en medios hospitalarios, me confiaba que dedicaba la mayor parte de su tiempo no a escuchar a los pacientes, sino a curar la angustia y el desconcierto de sus propios colegas. La mayor parte de ellos se preguntaban por el sentido de su existencia: «¿Para qué vivir? ¿A quién le sirve mi trabajo? ¿Cuál es su utilidad? ¿Hay algo más en la vida que subir al metro, dar el callo e irse a la cama?».

La pérdida de los significados de la vida que ofrecían las religiones tradicionales y las filosofías humanistas ha abierto un vacío existencial en muchos de nuestros contemporáneos. Por eso, me ha parecido importante presentar al lector mis reflexiones sobre la búsqueda de sentido en su vida y hacerlo, concretamente, ofreciéndole instrumentos que le faciliten el descubrimiento de su misión personal. Efectivamente, esta misión personal es la que contribuye a dar un sentido a sus acciones y gestos de cada día. Saber el porqué de su existencia aporta a la persona simultáneamente un sentido a su vida, una coherencia interna y una orientación a su actividad, que son otros tantos elementos de la realización personal.

¿A quién van dirigidas estas páginas?

El objetivo principal de esta obra es acompañar a las personas que se las tienen que haber con transiciones vitales, tanto si son queridas como si son impuestas. Antes o después, todos estamos llamados a vivir esas transiciones. Pues bien, muchos las viven sin haberse preparado o sin haber sido iniciados: jóvenes adultos que se quedan varados en la adolescencia, adultos confrontados a la segunda mitad de su vida, padres que llegan a la etapa del «nido vacío», jubilados voluntarios u obligados, personas mayores que sienten acercarse ya el final de su vida. En esos periodos cruciales que anuncian un cambio en la vida, todos se plantean de forma aguda la cuestión de su identidad, del significado de su existencia y de suporvenir.

Otras transiciones las provocan acontecimientos imprevistos. Mientras escribo estas páginas, pienso de manera especial en las personas que han sufrido pérdidas importantes: ruptura de una relación que para ellas suponía mucho, muerte un ser querido, paro laboral, jubilación, pérdida de creencias espirituales significativas, no-realización de su potencial, o simplemente ausencia de razones para vivir. Pienso también en algunos lectores en plena crisis existencial, insatisfechos de las motivaciones que hasta ahora activaban su vida; en personas obligadas a actuar en un escenario vital que ya no les resulta adecuado; en otras que experimentan una devastadora monotonía continua o un aburrimiento indefinible; en todos aquellos, en fin, que tienen la impresión de haber perdido el tren de su vida.

La orientación de esta obra

Antes de emprender la redacción propiamente dicha de estas páginas, su contenido ha sido experimentado con cinco grupos de jóvenes y de adultos llegados a la segunda mitad de su existencia. Estos encuentros, escalonados en tres fines de semana, invitaban a los participantes a una búsqueda espiritual en tres tiempos: hacer el duelo de las etapas de su vida ya franqueadas, profundizar en su identidad propia y atisbar su verdadera misión. Al final del recorrido, los participantes afirmaron casi unánimemente que habían adquirido un mejor conocimiento de sí mismos, de su misión y de lo que deseaban realizar en la vida. A ese cuestionamiento personal orientado a conducir al descubrimiento de su misión, es al que invito ahora a mis lectores. La palabra *cuestionamiento* viene del latín *quaesitus*, que significa simultáneamente búsqueda y cuestionamiento.

El proceso que aquí presentamos sigue, a grandes rasgos, el modelo de cambio propuesto por William Bridges[1]. Este autor concibe la vida humana como una sucesión de *travesías* o de *transiciones* que hay que llevar a cabo según un esquema de crecimiento en tres tiempos: el tiempo de desprendimiento de un periodo pasado, el tiempo de «margen» en el que se le da a la persona la oportunidad de profundizar en su identidad y en su misión, y finalmente el tiempo de la puesta en práctica de su misión en el contexto de su comunidad.

Este proceso en tres fases es un modelo clásico común en los ritos iniciáticos. También los relatos míticos están construidos en torno a tres etapas: la llamada y la partida del héroe, las pruebas que tiene que superar y su retorno glorioso. Hay muchos rituales de curación que siguen este esquema; por ejemplo, la dinámica de las doce etapas de Alcohólicos Anónimos: el abandono del alcohol, la lucha interna y la curación.

Los tres primeros capítulos de este libro describen la misión de forma teórica y subrayan la importancia de seguirla. Los demás capítulos están organizados según el modelo presentado por Bridges. Así, los capítulos cuarto y quinto examinan el tiempo de «soltar presa» mediante el duelo y el perdón, travesía obligada para sentirse liberado para realizar la búsqueda personal. Los capítulos sexto y séptimo describen el periodo de «margen» que permite a la persona profundizar su identidad y comprender mejor lo

---

1. BRIDGES, W., *Transitions: Making Sense of Life's Changes*, Addison-Wesley, Menlo Park 1996.

que la vida espera de ella. Los tres capítulos siguientes, —octavo, noveno y décimo– se dedican a las estrategias adecuadas para descubrir la misión propia de cada uno. Finalmente, los dos últimos capítulos centran su interés en la última etapa de la realización concreta de la misión, en las resistencias posibles en esta etapa, así como en la elección de colaboradores.

Algunos capítulos terminan con una serie de ejercicios prácticos. Sugiero a mis lectores que tengan a mano un cuaderno en el que, a lo largo de todo el proceso, puedan ir anotando sus respuestas a los diversos ejercicios. El *Diario del descubrimiento de mi misión*, con el que termina este libro, permitirá al lector recopilar los resultados de sus búsquedas personales, sintetizar sus descubrimientos y formular su proyecto de vida.

Primera parte

Nociones generales sobre la misión

1
¿Cómo definir la misión personal?

Tres canteros, sentados a la mesa en una taberna,
descansan de su jornada de trabajo bebiendo una cerveza.
El tabernero pregunta al primero qué hace en la vida.
Y éste le responde: «Tallo piedras».
Pregunta lo mismo al segundo,
y éste le dice: «Tallo piedras para levantar un muro».
El tercero,
sin aguardar siquiera la pregunta del tabernero,
se apresura a declarar con orgullo:
«Yo estoy construyendo una catedral».

Misión, vocación, visión: una cuestión de vocabulario

Para evitar toda ambigüedad, me gustaría precisar de antemano el sentido que le doy a la palabra *misión* en esta obra. No es el mismo que reviste en las expresiones *misión diplomática* o *misiones extranjeras*, en las que designa una función o un poder que una autoridad competente confía a una persona. Aquí, el término *misión* remite a una orientación inscrita en el ser de cada persona con vistas a una acción social. Dicho de otro modo, designa la necesidad que siente cada persona de realizarse a sí misma en un actuar que se corresponda con su identidad, al servicio de una comunidad.

La literatura actual sobre el tema de la misión utiliza además otros dos sinónimos para describir esa misma realidad: los términos *vocación* y *visión*. En el vocabulario religioso, estas palabras designan la invitación de un ser supremo a seguir tal o cual camino concreto. No es en este sentido como las usaremos aquí, ya que el contexto es más psico-espiritual que religioso.

Así pues, los términos *misión, vocación* y *visión* se utilizan aquí para expresar una misma realidad, aunque remitan a diversos modos de percepción: la emotividad, la audición y la visión. La etimología de estas palabras permite poner de relieve sus diferencias. *Misión* (en latín *missio* y *missus*, que significa «enviado») indica un impulso, un estímulo interior de orden emotivo. *Vocación* (del latín *vocatus*, es decir, «llamado») tiene que ver con el modo auditivo; más en concreto, esta palabra remite a una llamada que procede del fondo de uno mismo. *Visión* (del latín *visio* o *visus*, es decir, «lo que ha sido visto») pertenece al modo visual. Este término designará habitualmente una imagen interna, una idea creativa o un plan a realizar. Utilizaré con mayor frecuencia la palabra *misión* y sólo ocasionalmente usaré los términos *visión* y *vocación*.

¿Cómo definir la misión personal?

Para David Splanger[1] no existiría más que una sola y verdadera misión: AMAR. ¡Es difícil contradecir semejante afirmación! Sin embargo, aunque verídica, me parece demasiado general. Por eso, es conveniente trazar una lista de formas más concretas de misión que, desde luego, habrán de estar al servicio del amor.

La misión personal puede revestir varias modalidades y formas. Para realizarla adecuadamente, bastará a veces hacer algunas modificaciones en el trabajo de cada uno. Así, una persona podrá cumplir la misma tarea, pero en otro contexto; perfeccionarse prosiguiendo unos estudios; cam-

---

1. SPANGLER, D., *The Call*, Riverhead Books, New York 1996.

biar de actitud ante su empleo; convertirse en autónoma y trabajar por su cuenta; poner mayor acento en el trabajo de equipo; descubrir una nueva razón de ser o motivación a lo que hace, etc.

En algunos casos, la misión consistirá en llevar a cabo un cambio de actitud: por ejemplo, hacerse más creativo, más empático, más animoso y valeroso, menos precavido y temeroso, más emprendedor, más comprometido, más satisfecho, más inclinado a expresar la gratitud.

Otras veces habrá que llegar hasta a cambiar de carrera o de empleo, si se desea responder a una llamada persistente del alma, como ponerse al servicio de los demás, comprometerse en política, dedicarse a la cooperación internacional, encontrar una forma nueva de expresión artística, reavivar una antigua pasión, etc. Habrá ocasiones, finalmente, en que cumplir la misión propia significará, quizás, escoger un estilo de vida totalmente nuevo: casarse, tener un hijo, vivir en el campo, hacerse ermitaño, vincularse a una comunidad de personas deseosas de vivir unos mismos valores, encontrar una nueva compañía cuyo ideal corresponda al que uno tiene, etc.

¿Cómo reconocer la misión personal?

La misión personal reviste diversos aspectos: un ideal que perseguir, una pasión, una meta importante que alcanzar, un deseo profundo y persistente, una inclinación duradera del alma, un entusiasmo desbordante por un tipo de actividad, etc. También sucede a veces que algunos descubren su misión personal... a base de no descubrirla o de rechazarla. En efecto, a veces se ve uno invadido por el aburrimiento, los pesares y quejas, la nostalgia, por una impresión de vacío, de sueños recurrentes o de recuerdos y llamadas acusadores. Aun no descubierta o negada, la misión seguirá siendo un faro brillante en medio de las tinieblas.

Se cree demasiadas veces que es cada uno el que elige libremente su misión. Sería más justo decir que es la misión la que escoge al individuo. Cuando el individuo colabora con ella, la misión se convierte en sabiduría de su alma, en guía de su camino, poniéndole en guardia contra la dispersión y los extravíos. Le anima a concentrar sus energías. Le ayuda a tomar las decisiones acertadas. En fin, le permite discernir quiénes serán sus verdaderos colaboradores en la aventura de su vida. Más que un hallazgo en el sendero de la vida, la misión es el sendero mismo.

¿Cómo descubrir la misión propia?

Para descubrir su misión, muchos esperan recibir una revelación del cielo, como si tuviera que aparecérseles el dedo implacable de Dios, en medio de rayos y truenos, para indicarles el camino a seguir. Es cierto que algunos personajes de la historia recibieron signos ineludibles de su misión. Pensemos en los profetas de la Biblia, Isaías, Elías, Amós, por ejemplo; o en Juana de Arco, que escuchaba voces que la impulsaban a ir a salvar Francia.

Pero, de ordinario, la revelación de la misión personal acontece de forma mucho más discreta, e incluso adopta múltiples subterfugios. Así, por ejemplo, hay quien descubre un libro que había dejado dormir durante muchos años en su biblioteca o se encuentra por casualidad con una persona que le habla de un tema que le cautiva; otro se inscribe en un curso, sin demasiada convicción al principio, o asiste a un taller de formación; uno acepta una tarea que a primera vista parece estar por encima de sus capacidades; o cae enfermo o sufre un accidente o tiene que vivir un divorcio. Otro puede ser testigo de una penosa situación social que le irrita y le conmueve hasta el hondón de su alma. Cualquiera de estos acontecimientos, y muchos otros, pueden forzar a la persona a cambiar de orientación.

La misión puede también anunciarse, no ya por medio de signos exteriores, sino por estados de alma que uno tiende a no dar importancia, a soslayarlos y hasta a ignorarlos: rumias persistentes, aversión a un trabajo, impulsos sordos de la conciencia, fantasías fugaces, sueños en estado de vigilia, intereses constantes, etc. El día en que, por fin, la persona se detenga a conjugar entre sí todos esos sutiles movimientos interiores y a descifrar esas múltiples señales, se encontrará cara a cara con su misión, algo así como si hubiera seguido a ciegas el hilo de Ariadna que le conducía a través del laberinto de los acontecimientos de su vida.

Otras veces, la orientación profunda del alma se impone de manera más convincente. Tomará entonces la forma de una llamada clara, de una emoción deslumbrante, de una inspiración repentina, de una idea arrebatadora, de un destello genial, de una ocasión inesperada, de un encuentro imprevisto, de una situación social interpelante, etc.

Lo cierto es que nadie se prepara a bocajarro para su misión. Se ve preparado, sin saberlo, por decisiones no siempre razonadas, por tímidos consentimientos y vinculaciones, por una enfermedad, por acontecimientos curiosos o desconcertantes... Sólo mucho más tarde, al repasar el itinerario de su vida, se da uno cuenta de que un designio misterioso le había servido de guía. En general, la naturaleza no procede por saltos, pero sí va haciendo a una persona capaz de realizar en su vida las transiciones de mayor envergadura. Las menstruaciones, por ejemplo, preparan a la mujer a los dolores del parto; los múltiples pequeños duelos que hay que hacer en la vida predisponen a la persona a aceptar el gran duelo que supone la muerte. De la misma forma actúa la misión de una persona: cuando llama a una superación importante, cuenta con los numerosos pequeños «síes» anteriores que harán más fácil su plena aceptación.

Misión e identidad

El conocimiento de sí mismo es el factor principal en el descubrimiento de la misión propia. Sea cual fuere la forma que toma la misión, siempre hundirá sus raíces en la identidad de cada individuo. En su brillante obra *Callings*, Gregg Levoy expresa en estos términos el vínculo existente entre vocación e identidad: «La vocación [...] refleja nuestras necesidades y nuestros instintos fundamentales, es decir, el *"yo quiero"* de nuestra alma. Ir contra nuestras llamadas es ir contra nosotros mismos. Es no confiar en nuestra inteligencia más profunda»[2].

A veces se oye decir: «Mi misión en la vida es ser». La belleza y el candor de esta afirmación no logran, sin embargo, hacerla verdadera. La misión se deriva del ser, pero no se confunde con él. El adagio filosófico *«Agere sequitur esse»* («el obrar sigue al ser») mantiene siempre su actualidad.

En los capítulos 6 y 7 profundizaremos en el tema de la identidad. De momento me contentaré con subrayar que la evolución constante de la persona obliga a cada uno a preguntarse: «¿Quién soy yo?» y a poner al día periódicamente su respuesta. Es esencial, sobre todo en los momentos de transición, apartarnos de las actividades habituales para entrar en nosotros mismos y reflexionar sobre el sueño de nuestra alma. Estos momentos se imponen más aún cuando se tiene la impresión de haberse estancado y estar en un equilibrio sumamente frágil. La corriente de un río parece detenerse cuando el río se transforma en lago, pero sigue viva y activa. El trabajo de la misión sigue adelante, aunque a veces uno tenga que detener su búsqueda para meditar mejor sobre su propio ser profundo.

---

2. LEVOY, G., *Callings: Finding and Following an Authentic Life*, Harmoy Books, New York 1997, p. 234.

Cada individuo posee una identidad única, inmutable y específica; lo mismo ocurre con su misión en el mundo. Lo afirma claramente Viktor Frankl: «Cada persona posee una vocación o una misión específica en la vida [...] de tal manera que es única e irremplazable, pues su vida no puede reproducirse jamás. La tarea de cada persona es única, en el sentido de que sólo ella puede realizar esa posibilidad única».

Particularidades de la misión personal

Nadie se escapa de su misión

Seguir la misión propia es insoslayable. Aunque el río se ensanche o se estreche, dé rodeos o se pierda en meandros, amenace con desaparecer en medio de zonas pantanosas o choque contra rocas, siempre seguirá siendo el mismo río. Lo mismo ocurre con la misión. Cabe la posibilidad de huir de ella, de equivocarse acerca de su naturaleza, de creer haberla encontrado porque uno ha llegado a ser popular, de dispersarla en múltiples actividades. Sean cuales fueren los sucedáneos inventados para eludirla y los pretextos invocados para retardar su cumplimiento, la persona se verá acosada por su misión como por un fantasma, hasta el momento en que se decida a obedecerla.

La misión tiene algo de permanente. No es esencialmente transformable a lo largo de la vida, aunque sí puede precisarse, concretarse, ampliarse, aprovechar a un mayor número de personas. Así, Yehudi Menuhin, violinista de fama mundial, podía afirmar en 1975: «Cuando echo una mirada sobre mis sesenta años de vida, lo que más me impresiona es su impulso dinámico. Todo lo que soy, pienso o hago, todo lo que me ha sucedido parece haberse impuesto desde mi nacimiento con la simple evidencia de una prueba geométrica. Resulta extraño, y hasta un poco desconcertante, verse cumpliendo lo que parece ser un destino».

En otras palabras, cuando una persona permanece en contacto con su misión, ésta se convierte en un faro en su vida: se hace sabiduría de su alma, le posibilita tomar decisiones acertadas, escoger a sus verdaderos amigos y comprometerse en actividades que van realizando cumplidamente su propio ser.

Es cosa de cada uno descubrir su misión

Nuestra tarea consiste, no ya en crear nuestra misión, sino en dejar que ella cree y desarrolle un lugar en nosotros. Viktor Frankl afirma, efectivamente, que, lejos de inventar nuestra misión en la vida, lo único que hacemos es descubrirla. Y la describe como «un monitor o un sentido interior, una consciencia que nos proporciona un conocimiento de nuestra propia unicidad». Brota y se abre como una flor, emerge del interior de uno mismo (o mejor dicho, del Yo, como veremos más adelante). Se deja discernir poco a poco. Raras veces es explosión, sino lento desarrollo en paralelo con el crecimiento del ser.

Karl Jung decía que se sentía incapaz de escapar de su misión. Se sentía en manos de un *demonio* (*daimon* en los griegos, o *genio* en los latinos) que le impulsaba a actuar: «Había dentro de mí un demonio (*daimon*), cuya presencia me era imposible soslayar. Me subyugaba y, si a veces me mostraba rudo, es porque estaba bajo su dominio. Aun cuando alcanzara la meta de mi trabajo, no podía detenerme allí. Porque tenía que darme prisa y ponerme de nuevo en armonía con la visión»[3].

---

3. JUNG, K. G., *Memories, Dreams and Reflections*, Bantam House, New York 1965, p. 365 (trad. cast,: *Recuerdos, sueños, pensamientos*, Seix Barral, Barcelona 1996⁶).

Cada uno está solo para descubrir su misión

Nadie puede revelarnos nuestra misión. Sólo nosotros somos capaces de descubrirla. ¡Cuánto nos gustaría que alguien nos dejara ciertos y seguros de cuál es nuestra misión! Nos sorprendemos a nosotros mismos esperando que algún sabio nos dicte exactamente lo que deberíamos hacer en la vida. ¡Sería tan fácil, pensamos, que nuestros padres nos trazasen el camino a seguir; que nuestro acompañante espiritual nos revelase la voluntad de Dios sobre nosotros; que el psicólogo –gracias a la magia de sus tests psicológicos– nos indicase la orientación que hemos de tomar; que una inspiración repentina acabase con todas nuestras vacilaciones! Pero, mira por cuanto, la misión no se deja descubrir de esas maneras. Es fruto de un trabajo hecho de reflexión, de soledad y también de miedo a engañarnos. La madre Teresa no se dejó desanimar en el seguimiento de su misión de ayudar a los moribundos de Calcuta; durante siete años, su director espiritual le desaconsejó que abandonase la comunidad religiosa en que vivía. Pero ella perseveró y siguió su camino. ¡Dichoso el que haya encontrado en su camino a una persona sabia, capaz de sostenerlo en su búsqueda y de confirmar sus intuiciones acerca de su misión!

¿Quién es el autor de la misión?

«Empezamos a tomar conciencia de que nuestra naturaleza más profunda, nuestro centro o el Dios íntimo, es la *fuente* de nuestras llamadas», escribe Gregg Levoy[4]. Coincide en esto con el pensamiento de Karl Jung, que definía al Yo, en el corazón de nuestra personalidad, como el reflejo de Dios en nosotros *(Imago Dei)*. Para Jung, el Yo es el principio

---

4. Levoy, G., *op. cit.*, p. 324.

organizador de toda la personalidad; es intemporal, joven y viejo a la vez; reúne todos los rasgos de lo masculino y de los femenino; preside la curación de nuestro ser; finalmente, es él quien posee la inteligencia de nuestra misión.

Larry Cochran observa que, para describir su vocación, los sujetos que él estaba estudiando, aun en el contexto profano en que estaban trabajando, utilizaban términos con connotaciones religiosas: devoción, sagrado, pureza, santidad, compromiso total del corazón, etc. Este mismo autor compara las experiencias del descubrimiento de la misión con las experiencias-cumbre *(peak experiences)* psico-espirituales[5].

Si Dios fuera ese tirano o ese dictador que impone su voluntad, tal como muchas veces nos lo han presentado, no podríamos en absoluto realizar nuestra misión con toda libertad. Pero si, por el contrario, la voluntad de Dios se expresa a través de nuestros talentos humanos, de nuestras aptitudes, de nuestros deseos profundos y de nuestros impulsos de libertad, entonces es que gozamos de la misteriosa colaboración de la voluntad divina para realizar nuestra misión. A este propósito, Simone Pacot escribe: «Hacer la voluntad de Dios es la respuesta personal de cada individuo al proyecto de Dios. Como cada ser humano es único, manifestará y encarnará el proyecto de Dios según lo que él es, de una manera totalmente específica»[6].

La misión atrae y asusta simultáneamente

Es inútil que nos preguntemos demasiado tiempo sobre la naturaleza de lo que se experimenta cuando uno se siente invadido por una inclinación persistente, por un interés re-

---

5. COCHRAN, L., *The Sense of a Vocation. A Study of Career and Life Development,* State University of New York Press, Albany 1990, p. 2.
6. PACOT, S., *L'évangelisation des profondeurs,* Cerf, Paris 1997, p. 143.

currente, por una fascinación tenaz hacia un género de vida o una actividad particular. Semejante atracción revela, sin ninguna duda, la existencia de una misión y su perfil. Lo que suele extrañar es que la atracción que se experimenta vaya acompañada muchas veces de una gran aprensión. Tomar conciencia de que uno tiene una misión que cumplir fascina y asusta simultáneamente.

Una mujer de cincuenta y cinco años que deseaba emprender estudios de *counselling* (acompañamiento y consejo) pastoral me preguntaba si era normal, a sus años, acariciar esta ambición. Desde que se había entregado a este proyecto, se sentía oscilar entre el entusiasmo y el miedo. Le hice observar que su sentimiento de ambivalencia, mezcla de entusiasmo y de ansiedad, confirmaba la autenticidad de su proyecto. Aquel sentimiento ponía en evidencia el carácter sagrado de su intención. En efecto, el antropólogo Rudolph Otto define lo sagrado en términos de alternancia de fascinación y de terror *(fascinosum et tremendum)*.

La misión exige un compromiso total

A unos jóvenes que le preguntaban por la orientación que debían tomar en su vida, Joseph Campbell les respondió: «*Follow your bliss*» («seguid vuestra pasión, o el hilo de vuestra felicidad»). Este consejo lapidario traza todo un programa de vida. A primera vista, podría dar a entender erróneamente que la vida se desarrollaría en adelante en un estado de pura felicidad. Pero no es eso lo que piensa Campbell, que insiste en la necesidad de tener *el coraje* de proseguir hasta el fin la propia línea de la felicidad. La búsqueda de la misión propia exige efectivamente un compromiso serio, inseparable de los desprendimientos que en otro tiempo se llamaban sacrificios. Esos desprendimientos no tienen nada que ver con el masoquismo; hacen renunciar a unos bienes porque se prefiere un bien superior, como es la realización cumplida de uno mismo o el cumplimiento de su misión.

También yo pasé por esta experiencia: el cumplimiento de la misión propia exige un compromiso total. Cuando manifesté mis deseos de seguir estudios de psicología, a mis 42 años, quisieron probar la seriedad de mi decisión y de mi compromiso. La llamada que sentía en mí se hacía cada vez más palpable y urgente; dedicaba la mayor parte de mis ratos libres a leer sobre esos temas, a participar en sesiones de formación en terapia y a recibir a personas en procesos de psicoterapia.

Encontré primero la oposición de mis superiores, que no creían en mi proyecto de perfeccionamiento. Asumí, luego, el riesgo de gastar una buena suma de dinero para ir a San Francisco y sufrir allí una entrevista de media hora, sin saber si me iban a aceptar en la universidad. Una vez admitido, deseaba residir, en San Francisco, en una casa de mi comunidad religiosa o en una casa de sacerdotes, como me exigían mis superiores religiosos. Pero en todas partes me decían de forma taxativa que no había sitio para mí. Así que me alojé en el campus universitario con estudiantes muy recelosos para con los adultos que les rodeaban. Desde los primeros días me di cuenta de que mis conocimientos de inglés eran francamente insuficientes. Se añadía a ello la dificultad de encontrar un lugar para las prácticas profesionales. Durante un semestre tuve que recorrer más de doscientos kilómetros, dos veces por semana, para llegar al sitio que por fin logré encontrar. Y paso en silencio muchos otros percances con los que tuve que bregar para realizar mi sueño.

En más de una ocasión las dudas se apoderaron de mí: «¿No habré emprendido un proyecto que me desborda?». Gracias a mis paseos por la orilla del océano, logré mantenerme en pie durante el primer semestre. El segundo semestre, con gran asombro por mi parte, se me abrieron todas las puertas: mi inglés había mejorado, disponía de un lugar para prácticas profesionales a pocos pasos de la universidad; encontré compañeros maravillosos; me invitaban familias acogedoras; aprovechaba muy bien los cursos. Entretanto, incluso mis superiores se habían reconciliado con mi proyecto de estudios. Fue entonces cuando comprendí que, cuando uno cree en algo, lo posible reside muchas veces más allá de lo imposible.

La misión está orientada hacia los demás

Cuanto más aprende uno a amarse a sí mismo, más aprende a amar a los demás. Esta paradoja me asombra siempre. El cumplimiento de la propia vocación tiene también algo de paradójico. Quien encuentra su propia misión y la explota a fondo rendirá necesariamente no pocos servicios a la comunidad. Como la puesta en práctica de los propios talentos no se hace en una campana cerrada y sometida al vacío, necesariamente aprovechará a otros. El espíritu de creatividad que acompaña a la realización de la misión tiene un efecto de entrenamiento para el entorno. «Cuando una flor se abre, atrae a las abejas», escribe el poeta Kabir. No hay nada más dinamizador que ver a una persona dedicada a poner en práctica sus propios recursos.

También William James recuerda el influjo social que nuestro estado interior ejerce sobre el mundo exterior: «La gran revolución de nuestra generación consiste en haber descubierto que el ser humano, al cambiar las actitudes interiores de su espíritu, puede transformar los aspectos exteriores de su vida». De este modo, el descubrimiento de la misión de cada uno y el empeño que ponga en realizarla producirán necesariamente una irradiación misteriosa e imprevisible sobre el conjunto de toda su vida y, seguidamente, sobre todo su entorno.

2
La importancia de descubrir la misión propia

El niño vio la estrella
y se puso a llorar.
La estrella le dijo: «¿Por qué lloras?»
El niño le respondió:
«Estás demasiado lejos. ¡Nunca podré tocarte!»
Y la estrella le replicó:
«¡Pequeño, si yo no estuviera ya en tu corazón,
no serías capaz de verme!».
(John Magliola)

Siempre que se pregunta a uno por su misión, se entra en una realidad misteriosa de la que la razón no puede dar cuenta adecuadamente. En efecto, ¿cómo saber lo que pasó exactamente en quienes cumplieron su misión y en quienes, por el contrario, la rechazaron? Trataremos primero de las personas que dijeron «sí» a la llamada de su alma, de las modalidades y de las consecuencias de su aceptación. Y dedicaremos el capítulo siguiente a los que no pudieron o no quisieron seguir su misión.

El tiempo propicio para el descubrimiento de la misión: la adolescencia y el paso a la segunda mitad de la vida

Para mucha gente la misión parece revelarse muy pronto, desde la infancia o desde la adolescencia. Me he encontrado con sacerdotes y religiosos que desde la edad de siete u ocho años estaban seguros de su vocación. También he conocido educadores cuyos juegos infantiles dejaban ya vislumbrar su porvenir de profesores o formadores. Los que tienen un talento particular, acompañado de una pasión especial, reciben la advertencia de su misión como un destino a seguir. Pensemos en Mozart y en todos esos jóvenes músicos a quienes el talento musical predestina a su arte desde su más tierna infancia.

Pero hay en la vida dos periodos concretos en los que la necesidad de cumplir la misión propia se hace más imperativa y hasta obsesiva: la adolescencia y el paso a la segunda mitad de la vida.

Las intuiciones de la adolescencia

La adolescencia se muestra como un periodo fecundo en intuiciones sobre el proyecto de vida. Robert Johnson[1] nos cuenta a este propósito el mito del rey pescador, para ilustrar el acontecimiento decisivo vivido en la adolescencia. Perdido en el bosque, hambriento, el rey vio un salmón asándose sobre las brasas; al intentar cogerlo, se quemó los dedos y se los llevó instintivamente a la boca; al lamérselos, saboreó un trocito de pez. Se sintió transformado por aquella aventura hasta el punto de que ya nunca fue el mismo que antes. Johnson ve en ello el drama del adolescente que «saborea» prematuramente la esencia de su ser; el salmón representa aquí el Yo. Esta revelación capaz de trastocar su identidad resulta ser una experiencia que, por sus pocos años, el adolescente es incapaz de asumir.

Johnson aplica a la mayor parte de los adolescentes el fenómeno de esta quemazón simbólica: todos ellos quedan obsesionados por la revelación de su naturaleza profunda y

1. JOHNSON, R., *He: Understanding Masculine Psychology*, Harper and Row, New York 1974.

de las posibilidades de su misión. ¿No es esa la suerte de muchos jóvenes que, durante unos momentos fugitivos, han percibido su esencia espiritual y su porvenir? Durante un encuentro al que asistía, un grupo de jóvenes estuvieron dialogando sobre las premoniciones de su vocación. Muchos reconocieron que habían tenido experiencias-cumbre (*peak experiences*) que les habían hecho atisbar su porvenir.

Por desgracia, la mayoría de las personas olvidan o arrinconan esas intuiciones, o fogonazos místicos de su porvenir, que percibieron en su adolescencia. Al llegar a adultos, se dejan llevar por la preocupación de responder a las exigencias de la vida en sociedad: por ejemplo, estudiar materias obligatorias que les interesan poco, lanzarse a la competitividad, ganarse la vida, cumplir una función social, acumular riquezas, ambicionar puestos de prestigio. Se dejan acaparar por otras ocupaciones totalmente ajenas a la inclinación profunda de su alma.

Por lo demás, estoy de acuerdo con Jean Cocteau cuando afirma: «Cuanto más viejo me hago, mejor veo que lo que no envejece son los sueños». Yo completaría este pensamiento precisando que nuestros sueños «de juventud» no envejecen.

La crisis de la segunda mitad de la vida

La mitad de la vida constituye otro momento privilegiado para tomar conciencia de la misión de cada uno. Para describir la situación de las personas que han llegado a esta etapa de su existencia, el antropólogo y mitólogo Joseph Campbell utiliza la siguiente comparación: «Durante los treinta y cinco o cuarenta primeros años de nuestra vida, nos hemos esforzado por escalar una larga escalera a fin de alcanzar la cima de un edificio; llegados al tejado, nos damos cuenta de que nos hemos equivocado de edificio».

A mitad de la vida, pasamos a la otra vertiente de nuestra existencia. Tendemos entonces a hacer un balance de lo que hemos realizado. Nos creemos alguien porque nos hemos hecho con un sitio en la sociedad. Recordamos nuestras realizaciones, nuestros afectos pasados, nuestras alegrías y nuestras tristezas, nuestros éxitos y nuestros fracasos, nuestras esperanzas realizadas y nuestros sueños frustrados. Pero son muy pocos los que sienten una plena satisfacción de sí mismos. La mayor parte de las personas constatan la existencia de sueños no realizados, de ideales fallidos, de esperanzas escamoteadas. El espectro de la muerte viene con frecuencia a exacerbar el sentimiento de haber fallado en el ideal de la propia vida. Agarrados por el pánico, no pocos intentarán rehacerse una nueva juventud y recomenzarlo todo. Así, algunos cambiarán de carrera o romperán su matrimonio, escogiendo vivir con una pareja más joven; otros adoptarán un nuevo estilo de vida. La obsesión de no haber llenado cumplidamente su misión impulsará a algunos a querer efectuar numerosos cambios en su vida. Pero muchas veces resulta que no saben qué es lo que hay que cambiar. Se contentan con modificar cosas exteriores en vez de plantearse las cuestiones fundamentales: «¿Quién soy yo? ¿Cuál es el sueño de mi vida? ¿Qué quiero hacer con el tiempo que me queda por vivir?»

En vez de sucumbir a la tentación de repetir las hazañas de su juventud, los adultos que se encuentran en la mitad de su existencia deberían comenzar por sumergirse en el interior de ellos mismos. En efecto, el reto con que han de enfrentarse las personas de esta edad consiste en explorar en profundidad el terreno en barbecho de su sombra, ese mundo de posibilidades que han reprimido en el inconsciente por temor a verse rechazados.

Después de varias sesiones de terapia, un hombre de mediana edad llegó a la conclusión de que, para realizarse, tenía que tener una amante. Su psicoterapeuta, que no acababa de ver muy claras las aspiraciones de aquel hombre y dudaba mucho de que ése fuera el buen camino; vino a consultarme. A mi juicio, nos encontrábamos ante el caso clásico de una persona que intenta colmar su vacío interior recurriendo a un medio exterior. Aquel hombre tenía que aprender a desarrollar sus cualidades femeninas, que hasta entonces había ignorado. Al reintegrar su sombra femenina, iba a poder estar más en contacto con su emotividad y su sensibilidad y, por eso mismo, podría descubrir lo que quería de la vida. En el capítulo sexto de este libro trataremos más a fondo de la sombra y de su reintegración.

A cualquier edad se puede conocer la misión propia

Algunos se preguntan a veces si hay una edad límite para que uno llene cumplidamente su misión. ¡Desde luego que no! Se han encontrado en las pirámides semillas cuya existencia se remontaba a varios millares de años y que, sin embargo, se ha logrado hacer germinar. Del mismo modo, nunca es demasiado tarde para emprender la realización de la misión propia. La abundancia de recursos y de tiempo libre que ofrece la civilización actual permite todo un abanico de opciones casi ilimitadas. Millares de personas jubiladas, que gozan todavía de una excelente salud, pueden actualmente aprovecharse de ello. Para ellas, se trata de una ocasión única de recuperar el tiempo perdido en la realización de su misión. ¿Sabrán aprovecharse de ello y realizarse, o buscarán simplemente divertirse para escapar de la depresión y de la perspectiva de la muerte?

La misión, fuente de crecimiento personal

La misión da un sentido a la vida

El que satisface su misión tiene asegurado encontrar un sentido a su vida. Descubrirá las aspiraciones de su alma y, por ese mismo hecho, su razón de existir. Tendrá la sensación de ser él mismo, de experimentar la unidad profunda de su ser y de llevar una vida auténtica. Finalmente, tendrá la satisfacción de ejercer un influjo bienhechor en su entorno.

Una existencia marcada por semejante sentimiento de plenitud contrasta con la sensación de vacío existencial que afecta a muchos de nuestros contemporáneos. Viktor Frankl llama a ese malestar del alma «vacuidad existencial» o «frustración existencial». Se trata del malestar, del mal-ser, de quienes no han encontrado o no han dado un sentido a su vida. Y entonces reaccionan frente a ese vacío interior de diversas formas: unos declaran que la vida es absurda y piensan en el suicidio como el medio de escapar de su angustia; otros se empeñan en colmar el vacío de su existencia con diversos sucedáneos: el alcoholismo, la droga, los juegos de azar, las actividades eróticas o la diversión febril. Otros, en fin, se refugian en el activismo, intentando escapar de los trances del silencio y de la soledad. Según Simone Weil, todos se portan como suicidas: «Una existencia que se pone como objetivo escapar de la vida constituye, a fin de cuentas, una búsqueda de la muerte».

El efecto psicológico más patente de este vacío existencial es el aburrimiento tenaz, esa especie de fiebre del alma que se traduce en un potencial psicológico y espiritual no puesto en práctica. Ese aburrimiento no afecta sólo al lado emotivo del ser, sino a toda la persona. Hasta las células del cuerpo se aburren y sufren los contragolpes del letargo del alma. Las estadísticas indican que un gran número de accidentes cardíacos se producen el lunes por la mañana, cuando se vuelve al trabajo. El devastado erial de muchos empleados, que llevan su trabajo como cadenas de esclavitud, podría explicar este fenómeno.

Al contrario, la persona que haya descubierto su misión encontrará en ella razones para vivir y ser feliz, sean cuales sean los obstáculos, dificultades o sufrimientos que también encontrará. A este propósito, a Viktor Frankl le gustaba citar la afirmación de Nietzsche: «Los que tienen un porqué, pueden sobrellevar cualquier cómo». El mismo Frankl pudo verificar la exactitud de esta afirmación: para sobrevivir a las atrocidades de los campos de concentración, supo darse, en cada momento, una razón para vivir.

Proseguir la misión propia: una sabiduría del alma

El descubrimiento de la vocación propia produce un efecto polarizante sobre el conjunto de la vida de una persona. Su misión se convierte para ella en una sabiduría del alma. Ella le enseña a rechazar lo que podría distraerla de su proyecto de vida y a explotar sus energías y sus recursos para realizarlo. En particular, elimina las distracciones, las tentaciones de lo inmediato, las diversiones inútiles, la dispersión, los detractores y los falsos profetas; en una palabra, todo lo que podría poner trabas a su realización.

Se reconoce fácilmente a las personas que no viven de su misión: mariposean por todas partes; no distinguen entre lo esencial y lo accesorio; se dispersan en un activismo desenfrenado. Lo mismo que la mosca de la fábula de La Fontaine, creen que son los únicos eficaces y critican a los otros por su inacción. Además, se convierten en presa fácil de las solicitaciones de su entorno. Estas personas acaban siendo víctimas del agotamiento, por no haber aprendido a su debido tiempo a escuchar y a seguir sus aspiraciones profundas. Quienes no se fían de la orientación de su misión están abocados al desastre; (la etimología de esta palabra es muy reveladora: *desastre* significa el hecho de *des*viarse de su buena *estrella* y perderse).

La realización de la misión propia,
un antídoto contra la desestima de uno mismo.

La estima de sí mismo o autoestima, una realidad psicológica que se ha puesto de moda, se presenta de dos modos distintos: la estima que uno siente de su propio ser y la confianza en su obrar. Esta simple distinción permitiría evitar la guerra que mantienen los que propugnan la autoestima. Para unos, la estima de sí mismo consiste en sentirse bien dentro de su propio pellejo (*feeling good*); para los otros, se trata de la aptitud para producir y crear. La primera definición se sitúa en el orden del ser; la segunda, en el del obrar. La misión, tal como la entendemos en este punto, tiene que ver sobre todo con la estima de sí mismo en el orden del obrar.

En su libro *Le Soi*, Delphine Martinot subraya que una pobre estima de sí mismo impide asumir riesgos calculados. La persona que lo sufre no se atreve a exponerse al fracaso, al ridículo, a la decepción, a la reprimenda. Antes preferiría desaparecer de la faz de la tierra. Sin embargo, lo que más podría robustecer su yo fragilizado por el miedo al fracaso, sería descubrir su misión y de comprometerse en ella. El más pequeño éxito en la realización de la misión propia tonifica la estima de uno mismo y anima a emprender nuevas iniciativas. Poco a poco se va borrando el temor al riesgo y va dejando sitio a la confianza en uno mismo.

La psicología reconoce que el factor primordial de perseverancia en el cumplimiento de una tarea es la confianza en uno mismo. Ésta se adquiere y se mantiene gracias a la esperanza de éxito. La confianza en sí mismo y la realización de uno mismo en su misión se refuerzan mutuamente. Su interacción proporciona el coraje y la audacia necesarios para comprometerse y perseverar en la misión propia.

Así pues, la autoestima y la misión van íntimamente ligadas y se influyen la una en la otra: cuanta más confianza se tiene en sí mismo, más se persevera en la realización de un trabajo o de una carrera, ya que uno va sintiéndose cumplido y realizado. Cuanta mayor impresión se tiene de estar comprometido en su proyecto de vida, más aumenta la confianza en sí mismo y más se siente uno motivado a llegar hasta el final de sus iniciativas.

Cuando enseñaba en la escuela secundaria, siempre me extrañaba ver que los malos estudiantes según el plan de estudios tenían éxito y se realizaban en las actividades para-escolares. Incapaces de centrarse en las materias escolares, podían pasar horas y horas coleccionando sellos, leyendo complicados manuales de mecánica, aprendiéndose los nombres de los atletas y sus hazañas deportivas, etc. Con esas actividades, realizadas con auténtica pasión, esos estudiantes alimentaban su autoestima.

Los «fracasados», esos jóvenes que abandonan la escuela antes de terminar la etapa de secundaria, son personas desanimadas por no haber encontrado una meta interesante en su vida. Por tanto, sería muy importante ayudarles a descubrir su misión. Esto les permitiría adquirir confianza en sí mismos y, en consecuencia, perseverancia en sus estudios.

El compromiso serio en la misión propia arrastra consigo la colaboración del universo y de sus recursos

Para Albert Einstein, la cuestión fundamental que se plantea en la vida es: «El universo, ¿es amistoso o no lo es?» La narración que viene a continuación ilustra muy bien, a mi juicio, el hecho de que, si uno toma en serio su misión, se encontrará con un universo «amigo» y con un entorno dispuesto a cooperar.

Federico, uno de mis amigos, sentía una fuerte atracción por las gentes afectadas por la pérdida de un ser querido. ¿Abandonaría su carrera de psico-educador, que le aseguraba una buena situación económica? ¿Debía lanzarse a un trabajo de psicoterapeuta entre personas en situación de duelo, corriendo el riesgo de que bajasen sus ingresos de un modo importante? Se sentía lleno de pánico ante el pensamiento de tener que cambiar de empleo. ¿Conseguiría ganarse la vida para él y para su familia? ¿Sería todo aquello un sueño vaporoso, un capricho pasajero? ¿Qué dirían los demás? ¿Tendría que lamentarlo el resto de su vida?

Finalmente, tras largas y angustiosas vacilaciones, después de haber consultado a su familia y a algunos amigos, Federico dio el salto. Dejó definitivamente su empleo y, después de una formación en terapia de duelo, ofreció sus servicios a su comunidad social. A pesar de unos comienzos poco prometedores, acabó haciéndose con una sólida clientela. Se puso luego a dar conferencias sobre el tema. Adquirió rápidamente fama internacional como formador de consejeros en esta materia. Creó nuevas técnicas de terapia del duelo, que se ha propuesto describir en un próximo libro. El «sí» que dio a su misión lo propulsó a una serie de aventuras esperanzadoras y a proyectos sugestivos. La realidad ha superado sus más ambiciosos sueños. Por haberse comprometido a fondo en un terreno que le apasionaba, le salió al encuentro un universo amistoso.

Por el contrario, muchas personas consideran al universo como una realidad amenazadora, de la que hay que protegerse. Deben aislarse, no confiar nunca en nada, fortificar bien sus barricadas y, sobre todo, no asumir riesgos. El *cocooning*, esa forma de vida cada vez más popular en la que cada uno se encierra en su mundo cómodo y bien protegido, acaba con todos los bellos riesgos.

El cumplimiento de la misión propia enriquece al universo

Thomas Berry, un gran teólogo ecologista, define tres principios que rigen el universo: la diversificación de los seres, la interiorización y la comunión. Desde hace millones de años, el universo se ha enriquecido entre otras cosas por la diversificación de las especies de plantas y de animales. Para *diferenciarse*, las plantas y los animales no han tenido que contar más que con el automatismo de las leyes naturales y de los instintos. También cada ser humano esta llamado a hacerse diferente y único, pero debe conseguirlo en virtud de su libre albedrío y de su creatividad. Por eso, cada vez que una persona desarrolla sus talentos y su originalidad en el cumplimiento libre de su misión, se hace co-creadora y colaboradora de la Creación. Enriquece al mundo con su contribución única e irremplazable. Conviene sustituir la frase «Nadie es indispensable» por esta otra: «Toda persona es indispensable». En efecto, cada ser humano recibe una llamada a cumplir una misión personal que él es el único que puede cumplir. Si el universo se empobrece por la desaparición de una especie vegetal o animal, también se empobrece por igual cuando un individuo no reconoce su misión o se niega a llevarla a cabo.

* * *

He aquí en pocas palabras lo esencial de estas primeras reflexiones sobre la importancia de llevar a cabo el proyecto de vida de cada uno.

Existen dos periodos privilegiados en los que se siente con mayor fuerza la llamada de la misión propia: la adolescencia y la entrada en la segunda mitad de la vida.

No existe ningún límite de edad para cumplir la misión propia, ya que se trata de una realidad innata que espera ser explotada.

Llevar adelante la misión propia proporciona una razón para vivir y confiere un sentido a la propia vida.

El descubrimiento de la misión propia aumenta la autoestima y la confianza en uno mismo.

El proyecto de vida de cada uno tiene incidencias más amplias de lo que se podría creer. Por la realización de su misión, cada persona se vincula a los «campos de energía» del universo.

Finalmente, siguiendo la llamada que viene de las profundidades de su ser, la persona entra en el movimiento de co-creación del universo. Participa de la inteligencia y de la sabiduría universales, llamadas Providencia.

3
Y los que rechazan su misión...

«Mi corazón tiene miedo a sufrir»,
dijo el muchacho al alquimista,
una noche en que miraban el cielo sin luna.
—«Dile que el miedo a sufrir
es peor que el propio sufrimiento.
Y que ningún corazón sufrió jamás
cuando fue en busca de sus sueños».
(Paulo Coelho[1])

¿Cómo explicar el hecho de que unos descubren su misión mientras que otros no la descubren jamás? ¡Sigue siendo un misterio! Sea de ello lo que fuere, nos vamos a detener aquí en los obstáculos que se encuentran en el descubrimiento de la misión propia.

Los que no siguieron su misión

Los que no han descubierto su misión pertenecen a cinco categorías. Están primero los que no saben que tienen una misión o no creen en esta realidad. Vienen luego los que buscan en vano su misión porque no saben cómo encontrarla. Están además los que no tienen valor para seguirla y acuden a excusas y componendas. A continuación están los que, habiendo encontrado su misión, acaban abandonándo-

---

1. COELHO, P., *El Alquimista*, Planeta, Barcelona 1995, p. 164.

la. Finalmente, nos encontramos con los que descubren su misión, pero se niegan obstinadamente a seguirla.

* En la primera categoría figuran las personas que ignoran la existencia de su misión. Su vida se desarrolla sin pasión; parecen quedarse satisfechos con la rutina cotidiana: subir al metro, dar el callo, irse a la cama. No obstante, su misión, aunque ausente, seguirá hostigándoles bajo la forma de fantasmas fugaces y punzantes. Sentirán un vago malestar que se transformará a veces en accesos de ansiedad y en hastío de vivir. Algunos se dirán: «¡No hay más, esto es la vida!». Han reprimido su misión, allá muy hondo en su inconsciente, hasta el punto de que ahora forma ya parte de su sombra.

En mis conferencias sobre el tema de la misión personal, siempre me asombra ver cómo se enciende la mirada de los oyentes, cómo se despierta su interés y cómo se apodera de ellos el entusiasmo. Tengo la impresión de estar revelándoles un secreto íntimo que ha estado muy escondido en el fondo de su corazón. Un joven me confiaba hace poco: «Su exposición sobre el hecho de que cada persona lleva dentro de sí una misión ha cambiado mi vida. Me sentía obligado a decírselo».

* La segunda categoría corresponde a las personas que encuentran dificultades en descubrir y en proseguir su misión. Aludo a esos obstáculos a todo lo largo de este libro, en particular en la última parte de este capítulo. A quienes deseen saber más sobre las posibles resistencias, les aconsejo el libro de Barbara Sher[2], que presenta estrategias prácticas para superarlas.

* Más que con vivir su misión, las personas de la tercera categoría se sienten satisfechas con las componendas.

2. SHER, B., *I Could Do Anything If I Only Knew What It Was: How to Discover What You Really Want and How to Get It*, Delacorte Press, New York 1994.

Así, el que se sentía llamado a ser artista se hará crítico de arte. Un historiador potencial se contentará con ser reportero de los hechos cotidianos. Otro, que sentía la necesidad de escribir, se lanzará a ser editor. El soltero que deseaba tener hijos tratará de educar a los hijos de los demás. Algunos intentarán tener éxito en su misión de forma vicaria, eligiendo como pareja a una persona que la realice en su lugar. Es el caso de aquella mujer con aptitudes artísticas innegables que se casó con un artista-pintor. Tras haber tomado conciencia de los motivos inconscientes de su elección, se puso a seguir cursos de pintura, con gran disgusto de su esposo que creyó que ya no lo quería.

* A lo largo de los cursos y talleres que he tenido sobre el descubrimiento de la misión propia, he encontrado personas que ya antes habían encontrado su misión, pero que, luego, la habían abandonado. Estas personas forman parte de la cuarta categoría. He aquí algunos ejemplos. Al trazar el perfil de su misión, una joven se dio cuenta de que había dejado un trabajo que, sin embargo, la había llenado de felicidad: animadora escolar, creaba programas de estudio que experimentaba con chavales en cuya compañía lo pasaba estupendamente. Ahora, encerrada en un despacho, ejecuta las órdenes de un jefe. Detesta su empleo, porque ya no puede desarrollar su creatividad y la mantiene lejos de los niños. Otro participante se extrañó de reconocer su misión en un trabajo que había abandonado diez años antes; era un puesto de ecologista que le hacía dirigir un equipo de hombres en plena naturaleza. Insatisfecho de su empleo actual, se preguntaba si no debería volver a sus viejos amores, aun a costa de un recorte en su sueldo.

* La historia nos presenta héroes muy conocidos que podríamos clasificar en la quinta categoría, la de aquellas personas que se han negado a responder a su misión. Jonás, un personaje bíblico, representa el tipo mismo del profeta

recalcitrante que intenta eludir su llamada. Dios le pedía que fuera a predicar a los habitantes de Nínive para convertirlos. Jonás creyó que podría escaparse en un barco que navegaba hacia Tarsis, en la esquina opuesta al lugar de su misión. Pero he aquí que se levanta una tempestad en el mar. La tripulación, para ganarse el favor de los dioses y calmar las olas, arroja al mar a Jonás, con su consentimiento. Se lo traga una ballena, lo mantiene preso en su vientre para, finalmente, devolverlo... en las orillas del Tigris, en Nínive. Muy a su pesar, Jonás vuelve a encontrarse en el lugar mismo adonde Dios le había ordenado ir. La moraleja de esta historia: nadie puede escaparse de su misión; si no la cumple voluntariamente, no tendrá más remedio que cumplirla a la fuerza.

Hay un proverbio latino que describe el carácter imperativo de la misión como si se tratara de un destino: «El destino conduce a quienes lo aceptan; a quienes lo rechazan, los lleva a la fuerza». Al contrario, la opción de no obedecer a nuestra misión es la prueba de nuestra libertad personal. Nuestra vocación no es un destino implacable, como pretendían las tragedias griegas. Siempre tenemos la posibilidad de rebelarnos contra nuestra misión. Pero, en ese caso, tendremos que pagar el precio correspondiente.

Lo que Dios murmura a la rosa
para hacer que se abra en toda su belleza,
mil veces me lo grita a mí en mi corazón.
(Rumi)

Los obstáculos reales, las falsas creencias y las resistencias a la realización de la misión propia

Distinguimos tres tipos de obstáculos en la prosecución de la misión propia: las dificultades reales, las falsas creencias y las resistencias psicológicas.

Las dificultades reales

No todos los obstáculos son de naturaleza imaginaria; y el hecho de no superarlos no denota necesariamente una falta de coraje. Existen obstáculos muy reales que ponen trabas, al menos momentáneamente, a la realización de la misión propia: la pobreza, la enfermedad, las responsabilidades familiares, la carencia de recursos, el aislamiento, la falta de formación adecuada, etc.

Estas limitaciones son reales. Sin embargo, no deberíamos infravalorar la creatividad, la tenacidad y la ingeniosidad de las personas decididas a cumplir, cueste lo que cueste, el sueño de su alma. El caso de Gilberta es un buen ejemplo. Abandonada por su marido alcohólico y a pesar de su situación de pobreza severa, consiguió salir adelante con sus dos hijos. Cuando me enteré de que se había inscrito en un programa de licenciatura en counselling (orientación familiar), confieso que no me entraba en la cabeza cómo podría llevar a cabo semejante cometido. Pero me equivoqué. Gracias a su desenvoltura, a su empeño, a su tesón en el trabajo y a algunas becas de estudio, consiguió, después de cinco años, obtener el grado universitario que ambicionaba. Ahora mantiene abierto un consultorio. Y añado que su propia experiencia de la pobreza le ha hecho ser muy sensible para ayudar a sus clientes que pasan por situaciones de indigencia.

Las falsas creencias

El segundo tipo de obstáculos para la misión proviene de convicciones consideradas como verdades irrefutables, pero que no lo son. Esas opiniones erróneas nacen de experiencias frecuentemente desafortunadas y repetidas. Me voy a permitir describir algunas de ellas y denunciar su falsedad:

«Mi trabajo, mi función o mi carrera: ¡ésa es mi misión!»

¡Dichoso el que ha encontrado su misión en el cumplimiento de un trabajo! Pero no hay que confundir estas dos realidades. Un trabajo, una función e incluso una carrera no siempre tienen las características de la misión, en particular su carácter englobante, permanente y fascinante; están sujetos al cambio. En efecto, se puede perder un trabajo e incluso abandonarlo por otro, sin que se modifique en nada la insistencia de la misión personal. Si comparáramos la realización de la misión con la ejecución de una pieza musical, la misión se identificaría con la melodía, mientras que el trabajo, la función o la carrera serían los instrumentos. A pesar de la diversidad de instrumentos utilizados, la melodía seguiría siendo siempre la misma.

Los que no tienen la dicha de tener un trabajo que coincida con su misión, difícilmente encontrarán en él una razón para vivir; todo lo más encontrarán una razón para sobrevivir. Algunos de ellos podrán escoger otra alternativa compatible con su trabajo que corresponda mejor a su llamada. Por ejemplo, uno de mis amigos que es médico ha encontrado en la fabricación y conservación de muebles antiguos una manera de expresar una pasión que él sentía de antiguo.

«Puedo cumplir mi misión
imitando la de los grandes personajes»

Si se puede imitar el coraje o la determinación de una persona en el descubrimiento y la prosecución de su misión, resulta imposible, sin embargo, imitar la misión, como tal, de otra persona. Lo subraya una cita sacada de la *Bhagavad Gita*, texto sagrado de la filosofía hindú: «Es preferible conocer la misión de nuestra vida *(dharma)* aunque sea de modo imperfecto, que intentar asumir la misión de la vida de otro, sea cual sea el éxito que en ello se consiga».

He aquí un ejemplo de este tipo de error. Cuando canonizaron a Eugenio de Mazenod, fundador de la congregación religiosa a la que yo pertenezco, los hermanos Oblatos pusieron de relieve su carisma. Pues bien, algunos de ellos presentaron el carisma del fundador como un ejemplo a seguir. A mi juicio, eso es un error. Porque, además de que uno es incapaz de imitar a un personaje tan eminente, no se puede pretender ejercer el carisma de otro sin caer en el espejismo. El peligro sería crear una doble personalidad. El valor y la perseverancia de monseñor de Mazenod en ser fiel a su vocación son, sin duda, una enorme fuente de inspiración, pero nadie puede ambicionar vivir exactamente el carisma del fundador. Cada uno de los oblatos tendrá que descubrir para sí mismo su propio carisma.

A medida que uno va cumpliendo su misión, se va sintiendo cada vez más autónomo, más creador y más dueño de su vida. A Laurie Beth Jones le gusta decir: «Si no tienes tu propia misión, es que estás viviendo la de otros».

«Si hago la voluntad de un superior,
no puedo equivocarme sobre mi misión»

La obediencia a un superior o a un jefe puede ser a veces una trampa sutil que aparte de la misión propia. En efecto, son raras las autoridades cuyo interés central sea favorecer ante todo y sobre todo el pleno desarrollo de sus subordinados o de sus empleados en la realización de su proyecto de vida. Al contrario, están más preocupados en hacer que funcione la institución o la empresa de la que son responsables. Los empleados, víctimas de la cortedad de visión de sus jefes, trabajan muchas veces por motivos ajenos al de cumplir su misión propia, como pueden ser un buen salario, ventajas sociales o un ascenso; no tienen la impresión de realizar plenamente su potencial. Ésta es actualmente, en el mundo del trabajo, la causa principal de las tensiones, del absentismo laboral, de los sabotajes e incluso, a veces, de las reivindicaciones exageradas. Es la conclusión a la que llega Estelle Morin en su artículo sobre «la eficacia organizativa y el sentido del trabajo»[3].

Es evidente que la necesidad de cumplir su misión será menos apremiante para un joven que para un adulto. El joven, de ordinario, tendrá que retrasar su realización para satisfacer otras tareas más inmediatas, como cubrir sus necesidades y abrirse un lugar en la vida. Tendrá que acomodarse a las posibilidades de trabajo que se le ofrezcan y adaptarse a las circunstancias. Pero a la persona que ha llegado a la mitad de su vida, la necesidad de realizar la misión para la que ha nacido se le hará más imperiosa.

Como psicólogo, he encontrado personas deprimidas por haber seguido un ideal dictado por una institución, pero extraño a sus aspiraciones personales. A este propósito Laurie Beth Jones alerta a sus lectores: «Tened mucho cuidado con endosaros una misión que se corresponda con las necesidades de otro, pero que no tenga nada que ver *con vuestros propios intereses o con vuestras aptitudes*»[4]. Por tanto, no es de extrañar que muchos trabajadores no tengan más finalidad en la vida que llegar a la edad de su jubilación, en la que se verán finalmente libres de las exigencias de un empleo que no correspondía a su misión.

Las autoridades de algunas instituciones están convencidas de que, si los súbditos se aplican a cumplir la misión de la institución, no tendrán ya necesidad alguna de preguntarse por la suya. He aquí una ilustración elocuente de este fenómeno: unos religiosos tenían que hacer todos los años un retiro, a fin de recibir un nuevo impulso en su vida espiritual y apostólica. Año tras año, invitaban a un confe-

3. MORIN, E., «L'efficacité organisationelle et le sens du travail», en (VV.AA.), *La quête du sens*, Pauchant, Paris 1996.
4. JONES, L. B., *Tous les chemins mènent à soi: l'importance de trouver sa voie*, Le Jour, Montréal 1996, p. 31.

renciante distinto para que les presentase la misión general de la Iglesia. Lo curioso es que, a pesar de la competencia de esos conferenciantes, los asistentes al retiro no apreciaban mucho sus ideas. Pero he aquí que un año un nuevo animador-conferenciante suscitó el entusiasmo entre ellos. Les invitó primero a preguntarse por su misión personal. Una vez que la hubieron identificado, los animó a situarla en un marco específico de la misión de la Iglesia.

Este animador había comprendido, por una parte, que es necesario respetar en primer lugar la llamada de cada individuo y, por otra parte, que en la misión apostólica de la Iglesia hay sitio para los carismas personales.

«Puedo descubrir la misión de mi vida mediante estudios filosóficos o teológicos»

La búsqueda y el descubrimiento de la misión de cada uno superan el análisis puramente intelectual. Algunos creen que el estudio de los grandes sistemas filosóficos y teológicos podría ayudar a una persona a identificar sus aspiraciones profundas. Ciertamente, semejante estudio puede ser útil para ayudarle a encontrar el sentido de *la* vida, pero no el sentido de *su* propia vida. En efecto, existe una gran diferencia entre filosofar sobre el sentido de la vida y encontrar el sentido de *mi* vida, que se encarna en una misión personal. Ningún estudio filosófico sustituirá al «conócete a ti mismo» y, por consiguiente, a la reflexión sobre la identidad y la misión propias de cada uno.

«Una gran notoriedad será el signo de que he alcanzado mi misión»

La notoriedad como tal no tiene nada que ver con la verdadera naturaleza de la misión. Ciertamente, es necesario el reconocimiento social de la misión propia por parte de un grupo. Pero la popularidad y los honores son elementos accidentales respecto a la misión personal. Los criterios de autenticidad de la misión son interiores a ella misma: el entusiasmo, la creatividad y la satisfacción de aportar una contribución única al mundo.

Conozco a personas muy populares y muy poco felices, insatisfechas de sí mismas, y a obreros plenamente realizados. Recuerdo el ejemplo de un jardinero enamorado de sus plantas y de sus flores, orgulloso de la belleza y lozanía de sus arriates, siempre acogedor de los curiosos que venían a verlo trabajar. Al ver el empeño que ponía en su tarea, el esmero que dedicaba a sus plantas y su continuo buen humor, se notaba que era un hombre feliz, colmado por su misión.

«Haga lo que haga en la vida,
soy un juguete del azar o de un ciego destino»

Alguien ha definido el azar como el nombre que Dios lleva cuando quiere pasar de incógnito. Sin querer meterme en el misterio de la fatalidad o de la predestinación, deseo afirmar mi convicción de que, a pesar de las vicisitudes de la vida, todos tenemos la libertad de poder escoger nuestra misión. No somos muñecos del destino. Al contrario, cada persona goza de plena libertad para adoptar el camino que más se compagina con su yo auténtico. Los animales se realizan en virtud de sus instintos programados; el ser humano se realiza gracias a su libertad. Tendrá que descifrar, por eso, el código secreto de su alma, su «ADN espiritual» –expresión querida de James Hillman[5]– y colaborar con él.

---

5. HILLMAN, J., *The Soul's Code: In Search of Character and Calling*, Warner Books, New York 1997 (trad. cast.: *El código del alma*, Martínez Roca, Barcelona 1998).

«Seguir la misión propia es duro y penoso»

El seguimiento de la misión propia, sobre todo en sus comienzos, es con frecuencia fuente de ansiedad. En efecto, la persona se encuentra ante lo desconocido. Siempre ignoramos lo que puede reservarnos una elección de vida: tenemos miedo a equivocarnos; prevemos un fracaso; vislumbramos la posibilidad de vernos rechazados por las personas más cercanas a nosotros; podemos incluso sorprendernos temiendo un éxito que nos exigiría demasiado. En compensación, una vez comprometidos en nuestra misión, vemos que los miedos se van diluyendo progresivamente para dejar sitio a la satisfacción y a un sentimiento de armonía interior. Tenemos entonces la impresión de volver a nuestra propia casa tras un largo destierro.

Los miedos iniciales, vinculados a la elección de una nueva orientación de la vida, se transforman muchas veces en impulsos de entusiasmo. Sin embargo, si los temores, el aburrimiento y el sufrimiento persistieran, sería un signo de que no hemos seguido el camino acertado. Por tanto, si después de un intento legítimo no se experimenta el gozo profundo de estar respondiendo a una llamada, habría que orientar la vida de otro modo. El descubrimiento y el cumplimiento de la misión propia no pueden producir más que alegría, felicidad, creatividad y un deseo de vivir cada vez más plenamente.

«La búsqueda de la misión propia favorece el egoísmo»

Hay que reconocerlo: el deseo de realizarse en una misión camina de la mano con el amor a sí mismo. Una extraña paradoja quiere que el amor a los demás esté condicionado por el amor a sí mismo. ¿No es esto lo que subraya el precepto evangélico: «Amarás al prójimo como a ti mismo»? Santo Tomas se atreve a afirmar la primacía del amor a sí mismo sobre el amor al otro: «Como el amor a sí mismo es el modelo del amor a los demás, prevalece sobre él» (II, q. 26, a. 4). La búsqueda de la misión personal se inspira en esta misma lógica y tiene un aspecto altruista, por muy paradójico que esto pueda parecer.

La persona que prosigue su misión acabará constatando, antes o después, el efecto benéfico que con ello ejerce sobre su entorno, sobre la sociedad. Aunque sus motivos iniciales estuvieran afectados de egoísmo, se irán purificando poco a poco, sobre todo cuando la persona haya alcanzado su madurez. Así un industrial, movido al principio por la necesidad de enriquecerse, se convirtió, luego, en mecenas de un grupo de artistas; un inventor, animado al principio por el espíritu de competitividad, realizó descubrimientos tecnológicos importantes para el bien de la humanidad; un sacerdote de América latina, consagrado obispo debido sobre todo a su pertenencia a la aristocracia de su país, sorprendió a muchos volcándose en defensa de los pobres.

Con todo, la tentación del egoísmo es constante. Rebosante de éxitos rápidos, un individuo puede correr el peligro de creerse superior a los demás, de caer en el culto a su propio yo y en la inflación psicológica. Efectivamente, cualquiera que se acerque a su Yo experimentará entusiasmo (palabra griega que significa «habitado por un dios») y será propicio a conocer movimientos de orgullo (los antiguos griegos ponían en guardia contra la *hybris*). Si sucumbe a esta tentación, se convertirá en un fatuo y estéril; su inspiración y su creatividad se secarán rápidamente.

«Mi talento es mi misión»

Una joven me decía que sus educadores la habían arrastrado a hacerse pianista de profesión, con el pretexto de que ganaba todos los concursos en que participaba. Ciertamente le gustaba tocar el piano, pero no quería hacer de ello una carrera; más bien, ella se sentía educadora. Injustamente, algunos le recordaban la parábola de los talentos para influir en la elección de su misión. Pero a lo que la parábola invita es a hacer que fructifique lo que el Creador ha puesto en uno mismo, no tal o cual habilidad. En efecto, la palabra «talento» designa en esa narración una moneda y no una aptitud.

Así pues, aquella joven empezó a seguir cursos de piano para hacerse profesional, pero la insatisfacción no la abandonaba. Después de haber dudado varios años –no quería «traicionar» a su talento–, decidió consagrarse al acompañamiento de enfermos en fase terminal. Por primera vez, sintió que seguía de verdad el impulso de su corazón. En cuanto a su talento musical, lo puso al servicio de su nueva misión.

Resistencias psicológicas

A las dificultades reales y a las falsas creencias que se pueden alimentar sobre la misión se añaden las resistencias psicológicas. Son muchos los malentendidos que subsisten a propósito de las resistencias y de la manera de resolverlas. La opinión común en este tema es que, si se quiere, todo se puede conseguir: «Si quieres, puedes». Este proverbio parece dar a entender que la persona que se ve envuelta en resistencias frente al cumplimiento de su misión es una persona perezosa o una persona mal intencionada.

A mi juicio, la resistencia proviene de una parte inconsciente del ser que manifiesta su desacuerdo con el proyecto consciente. Si esa parte inconsciente se resiste, es porque tiene miedo de verse olvidada o marginada en la prosecución del proyecto central. Es importante, por tanto, comprender el mensaje que transmite la resistencia: nos previene de que la meta buscada no tiene en cuenta todas las exigencias de nuestro ser y no salvaguarda los intereses de toda nuestra persona.

Trataré más ampliamente el problema de las diversas resistencias psicológicas en el capítulo once de este libro.

Pero ya desde ahora me gustaría insistir en la importancia y en el tratamiento de las resistencias. Desempeñan un papel esencial tanto en el conocimiento de uno mismo como en la búsqueda lúcida y eficaz de la misión propia. Karl Jung pone en guardia a los que podrían verse tentados a deshacerse de sus resistencias como si se tratase de una muela cariada: «No habríamos ganado nada y habríamos perdido mucho si quitásemos las dudas a los pensadores, las tentaciones a los moralistas, el miedo a los valientes. Lejos de curarlos, eso sería amputarlos»[6].

En psicoterapia, encontrar una resistencia fuerte e intensa en un paciente es un signo evidente de que hemos tocado un punto crítico de su crecimiento. Del mismo modo, una resistencia obstinada a la realización de la misión propia anuncia que esa persona está siendo solicitada por un cambio importante en su vida. A pesar de las apariencias, una resistencia es una buena noticia: la angustia que entonces se siente indica que uno está cerca de algo importante, y hasta sagrado. Por eso, la forma de tratar bien las resistencias es acogerlas, dejarlas emerger, concretarlas y darles su nombre exacto, convertirlas en aliados eventuales en el discernimiento y el cumplimiento de nuestra misión propia.

* * *

He considerado de interés presentar un apéndice titulado *Diario de mis descubrimientos sobre mi misión*. Servirá para recopilar los resultados de las búsquedas personales efectuadas a lo largo de los próximos capítulos. Este diario permitirá al lector sintetizar sus descubrimientos y definir mejor su proyecto de vida.

---

6. Citado por Levoy, G., *Callings: Finding and Following an Authentic Life*, Harmoy Books, New York 1997, p. 196.

Segunda parte

«Soltar presa»

4
Hacer los duelos

Un hombre que anhelaba llegar a la iluminación
decidió ponerse bajo la dirección
de un gran maestro espiritual.
Éste le invitó primero a tomar con él el té.
El neófito aprovechó la ocasión
para repertoriarle sus títulos universitarios
y describirle sus experiencia espirituales.
Mientras hablaba,
el maestro seguía echándole té,
a pesar de que su taza ya se desbordaba.
Extrañado de aquel gesto tan insólito,
el futuro discípulo le preguntó qué hacía.
Y el maestro le respondió:
«¿No ves que ya no queda sitio en ti
para mis enseñanzas?».

Misión y transiciones

Misión, vocación, visión..., todas estas realidades afectan al porvenir de una persona. Pues bien, ese porvenir será imposible de realizar si la persona no aprovecha su presente para soltar la presa de su pasado. En efecto, William Bridges recuerda la necesidad de romper con lo que ya ha pasado para planificar el futuro: «Toda transición –escribe– empieza con la finalización de un periodo».

Mientras uno se obstina en no abandonar lo que ya no existe, se condena a quedarse encerrado en ello, a vivir en un mundo irreal y, en consecuencia, a languidecer en la esterilidad psíquica y espiritual. La negativa a ir soltando presa, que se ve en ciertas personas, recuerda la actitud de esos simios que se dejan fácilmente capturar por los indígenas: éstos meten nueces en unos recipientes de cuello estrecho, que van dejando por el bosque; cuando los monos meten la mano en ellos y agarran un puñado de nueces, ya no pueden sacarla por la estrechez del cuello. Y así, cautivos del recipiente, se convierten en presa fácil para sus cazadores.

Antes de poder entrar en algo nuevo, tenemos que separarnos del pasado modificando no sólo lo exterior a nosotros mismos, sino sobre todo nuestro interior. Hay muchas personas que no superan la etapa de sus sueños. Se ven paralizadas en la prosecución de su misión porque están apresadas por duelos no resueltos y enredadas en sus recuerdos dolorosos. Sus proyectos de porvenir se ven paralizados o gravemente condicionados. ¿No basta un simple cordelillo en las patas de un águila para impedirle emprender su vuelo hacia las cumbres? Lo recuerda el maestro Eckart: «Quien desea llegar a ser lo que debe ser debe dejar de ser lo que es».

Si se consigue acabar con lo que de todas formas ya ha pasado, es decir, morir a lo que ya ha terminado, se producirá un fenómeno inesperado. En esa renuncia, empezará uno a revivir y a recobrar el gusto por crecer. De ahí la importancia primordial de hacer los duelos, es decir, de soltar presa para profundizar en lo que es y, en consecuencia, estar dispuesto a realizar el proyecto de su vida.

La resolución de los duelos exige tomar conciencia de lo que se ha perdido, darlo nombre y progresar a través de varias etapas. He creído oportuno empezar trazando una lista de diversas pérdidas que pueden jalonar una vida.

Las pérdidas que van jalonando una vida

Las pérdidas previsibles y las renuncias necesarias

Todos los periodos de la vida –el nacimiento, la infancia, la adolescencia, el noviazgo, el matrimonio, la segunda vertiente de la vida, la marcha de los hijos (el nido vacío), la jubilación, la ancianidad– comienzan por una ruptura con el estado anterior. Es la ley de la muerte irremediable para renacer. Judith Viorts[1], describe detalladamente las separaciones que exige todo periodo de transición. He aquí algunas.

Muchos jóvenes buscan su vocación, pero les cuesta mucho trabajo encontrarla. Una de las causas principales de su dificultad sería la falta de una iniciación que les permitiría desvincularse de sus ataduras familiares. Los chicos, en particular, tienen mayor dificultad en cortar el «cordón umbilical» que los vincula a su madre. Muchos no evolucionan y se quedan bajo el dominio del arquetipo del *Puer aeternus* (el eterno niño). Cuando les llega el tiempo de elegir pareja, buscan a una persona que siga jugando el papel de madre ideal. En general, las chicas consiguen emanciparse mejor de sus familias. Con todo, también muchas de ellas permanecen durante mucho tiempo bajo el amparo de la autoridad paterna. Temen traicionar a su padre si son ellas mismas. Es el caso de esa joven que desea de todo corazón ejercer de decoradora, pero que vive resignada a su trabajo de contable... por no disgustar a su padre.

Algunas transiciones pueden causar verdaderos traumas. Como le ocurrió a una joven madre que acababa de dar a luz; se sentía deprimida y no comprendía por qué no se sentía feliz por haber dado a luz un niño lleno de salud. La llegada de su hijo había trastornado su vida: abandono temporal de su trabajo por maternidad, menos intimidad con su esposo, poco tiempo para sus aficiones, etc. Se creía

1. VIORTS, J., *Les renoncements nécessaires*, Robert Laffont, Paris 1988.

anormal y tenía la sensación de ser una mala madre. Lo que realmente había pasado era que todavía no había aceptado las renuncias que exigía su reciente maternidad.

Tampoco un acontecimiento feliz, un ascenso o un cambio de orientación, por ejemplo, dispensa siempre de las angustias del duelo. Una amiga mía, directora de un centro escolar, había visto, por fin, realizados sus sueños: la enseñanza directa en contacto con los alumnos. Sin embargo, luego se sintió muy mal, peor que antes de lograrlo; se sorprendía añorando penosamente las facetas agradables de su antiguo trabajo. Lo mismo les sucede.a muchos jubilados que no han hecho el duelo de su empleo.

Efectivamente, algunos se imaginan que una jubilación largo tiempo deseada les permitirá ahorrarse el duelo de haber dejado su trabajo. Una maestra esperaba con ansias la fecha de su jubilación. Se había preparado minuciosamente para ello. Pero se vio totalmente desarmada cuando, al final del año escolar, no paraba de llorar al despedirse de sus alumnos y colegas. Se había imaginado que, preparando su retiro, estaría ya inmune contra toda explosión de tristeza. Su preparación no la dispensó de las renuncias ligadas a la transición. Con todo, sí le permitió vivirlas con mayor armonía.

¿Qué decir, entonces, de las personas que nunca han pensado en tener que negociar transiciones semejantes en su vida? Se aferran desesperadamente a un escenario de vida que ya ha pasado. Como aquella madre de familia, tan deprimida desde que sus hijos abandonaron la casa. ¿En qué se queda una madre cuando ya no tiene hijos sobre los que velar?

La condición *sine qua non* (necesaria) para acoger una nueva misión es, por consiguiente, aprender a soltar la presa del pasado, a pesar de la impresión que uno puede tener de morir en la tarea. Richard Bach, autor de *El prophète récalcitrant*, escribe: «El gusano siente como el fin del mundo lo que el Maestro llama una mariposa».

Las pérdidas imprevisibles

A las pérdidas previsibles se añaden las pérdidas accidentales o imprevistas: la muerte repentina de un ser querido, un accidente, un divorcio, un despido laboral, un fracaso, una bancarrota, una desilusión amorosa, etc. El carácter repentino e imprevisible de esas pérdidas hacen que el duelo sea más difícil de resolver. A pesar del carácter dramático de este tipo de pérdidas, siempre será posible hacerles el duelo.

Las pérdidas necesarias para proseguir el ideal

Lo desconocido da miedo. ¿Por qué poner en peligro una vida bien organizada, confortable, para comprometerse en una misión que podría resultar una quimera? Después de haber alcanzado una seguridad económica, una vida cómoda y un status social envidiable, no está uno muy dispuesto a correr el riesgo de perder todas sus garantías de seguridad. ¿Qué vale más? ¿Valen más unos sueños cuyo éxito es incierto o «más vale pájaro en mano que ciento volando?».

Un sacerdote se vio ante este dilema. Había conseguido crear varias obras útiles en la comunidad. Pero sus obras habían adquirido tal impulso que se había visto obligado a confiar su propiedad y su gerencia a una sociedad. Ésta le contrató como funcionario para dirigir un sector de servicios. Poco a poco se fue sintiendo mal en su nueva función. Cayó en una depresión y empezó a sentir malestares de tipo angustioso. Su trabajo le causaba tal stress que tuvo que consultar con un psicoterapeuta. Éste le aconsejó que dejara aquel trabajo rutinario y que desarrollara más su creatividad, como lo había hecho antes para responder a situaciones sociales urgentes. Pero este cambio de vocación significaba un notable recorte en sus ingresos. ¿Cómo podría cubrir los gastos que ocasionarían su nueva casa, su coche de lujo, sus costosas vacaciones...? En vez de seguir su talento creativo y adoptar un régimen de vida más modesto, prefirió conservar su *statu quo*... y seguir cuidando sus angustias.

¡Cuántas personas, como él, rechazan la perspectiva de una vocación que supondría cambios draconianos en su estilo de vida! Algunos prefieren hacer que callen los sueños que amenazan su seguridad y su tranquilidad. Se refugian en excusas y se niegan a tener en cuenta la constante atracción que les susurra su alma. De ahí el malestar que ex-perimentan en forma de aburrimiento, de vacío espiritual, de agresividad y de depresión. El mero pensamiento de comprometer lo que tienen adquirido los paraliza. ¿Por qué desprenderse de tantas inversiones materiales, de relaciones humanas, de hábitos confortables, de un retiro asegurado, de unas habilidades bien rodadas por años de ejercicio? ¿Por qué abandonar todas esas ventajas palpables para abrazar un sueño que quizás nunca llegue a realizarse?

Las pérdidas difíciles de concretar

La pérdida del sentido de la vida toma la forma de melancolía, de vacío del alma y de aburrimiento existencial. ¿No es ése el estado anímico que aflige a muchos de nuestros contemporáneos? Tedio, malestar, aplanamiento, frustración, impresión de vacío y de inutilidad. Nada les satisface, nada les atrae. Lo que antes constituía su alegría de vivir ya no les llena. Languidecen en un vacío existencial que intentan llenar con cosas y actividades cada vez más decepcionantes. Unos se vuelven escépticos, otros agresivos. Unos se aíslan en una soledad malsana, otros se refugian en el consumismo, la enfermedad o la depresión. Algunos intentan escaparse de su vacío interior refugiándose en el alcohol o en extraños comportamientos sexuales, cuando no se dejan seducir por pensamientos suicidas: «¿Para qué vivir? ¿Hay algo más en la vida que tanta pura rutina? ¿Para qué seguir viviendo?». Son signos indicadores de una neurosis existencial.

Viktor Frankl define la frustración existencial como una ausencia radical de sentido en la vida. La falta de razón de ser está en el origen de la neurosis espiritual, especialmente en la persona que ha perdido toda pasión. ¿Dónde encontrará esa persona la cura de este mal de ser, de esta morriña? ¿Qué devolverá un sentido a su vida? La respuesta reside en gran parte en el descubrimiento de su misión.

El «soltar presa» y sus etapas

El trabajo psicológico del duelo no se orienta a hacer olvidar, sino a establecer una nueva relación con las realidades que fueron preciosas para uno, tanto si se trata de personas como de actividades, habilidades, cosas materiales, etc. Recordemos aquí las peculiaridades del proceso del duelo: es simultáneamente natural, progresivo, comunitario y temporal. Natural, porque se desencadena por sí mismo desde el momento en que se dejan caer sus resistencias. Progresivo, porque su resolución se va haciendo por etapas sucesivas. Comunitario, porque para curarse del duelo es indispensable la ayuda de otros, sobre todo el apoyo de una comunidad empática. Temporal, finalmente, porque, a medida que el duelo se va resolviendo, la persona reencuentra un nuevo equilibrio psicológico y espiritual.

Mi experiencia de acompañamiento de personas en duelo me ha llevado a distribuir la evolución del duelo en siete etapas, que son otros tantos puntos de referencia que permiten saber dónde llega uno en su duelo y medir el grado alcanzado en la tarea de «soltar presa». He aquí una breve descripción de cada una de ellas[2].

---

2. Una presentación más detallada de estas etapas podrá verse en mi obra *Grandir: aimer, perdre et grandir,* Novalis, Outremont 1983.

1. El shock

El «soltar presa» encuentra duras resistencias: el shock y la negación. No obstante, estas resistencias pueden resultar provechosas para el individuo en duelo. Le dan el tiempo necesario para atenuar su sufrimiento y proporcionarse recursos que le permitan afrontar lo inevitable. En otras palabras, esas resistencias ayudan a la persona en duelo a metabolizar poco a poco su sufrimiento y a evitarse, a la vez, un hundimiento demasiado grande.

2. La negación

La negación es un segundo reflejo de defensa contra la toma de conciencia de la pérdida. Actúa de dos formas: hace olvidar el acontecimiento doloroso y reprime las fuertes emociones del duelo. La primera tentación es la de volver a «los viejos buenos tiempos», olvidar la situación presente y creer que todo volverá a ser como antes. Por desgracia, la vida no se repite nunca; no permite revivir el pasado.

La otra tentación consiste en imaginarse que uno puede ahorrarse el trabajo del duelo. Así uno se empeñará, por ejemplo, en lograr sustituciones: reemplazar a su pareja por otra, su empleo por otro, su perro por otro, etc. Es caso frecuente entre los hombres. Tras un divorcio o una defunción, son muchos los que se buscan una joven compañera para llenar su vacío interior y poner un poco de bálsamo en su herida narcisista. Esta huida hacia adelante es engañosa; los lleva a creer que han resuelto su duelo y que han dado una orientación totalmente nueva a su vida. ¡Una ilusión! En efecto, es imposible esquivar un duelo, sin tener que pagar por ello un precio más adelante.

Los mecanismos de resistencia al duelo tienen, así pues, un papel positivo: ofrecen a la persona el tiempo de «sobrevivir», de digerir la pérdida a su propio ritmo y de acumular fuerzas para afrontar los momentos más penosos de la separación. En revancha, si perduran, paralizarán la resolución del duelo e impedirán la apertura a los demás y a otros proyectos. Si ocurre esto, la persona en duelo debe solicitar ayuda, sin más demora, para poder disolver sus resistencias.

3. La expresión de las emociones

Cuando empiezan a ceder las resistencias al duelo, la persona se siente sumergida progresivamente por una ola de emociones y sentimientos: miedo, tristeza, soledad, abandono, cólera, culpabilidad, liberación, etc. Estas oleadas de emociones se elevan, se retiran, vuelven a levantarse, como los flujos y reflujos del mar; sin embargo, en cada uno de sus movimientos van perdiendo intensidad.

La expresión de las emociones no es algo que esté reservado a la pérdida de un ser querido. En cuanto se produce un despido laboral, un divorcio e incluso un ascenso, la persona afectada se siente invadida inmediatamente por la ansiedad. Lo desconocido, aunque se trate de una buena noticia, se percibe como una amenaza. El afectado tiene entonces la impresión de que ha perdido el mando del desarrollo de su vida. Pensemos en los padres que asisten a la marcha definitiva de sus hijos del hogar: se sienten desolados ante la idea de ver que vuelan sus polluelos y que el nido se queda vacío.

La tristeza, generalmente llamada «pena», es la emoción característica del estado de duelo. La persona tiene entonces el sentimiento de haber sido amputada del objeto de sus afectos. Ese dolor sumerge muchas veces en la depresión, y hasta en la desolación, como ocurre con quienes preferirían morir con el ser querido antes que vivir sin él.

La pérdida de un empleo, de un animal doméstico, de un ideal o de un sueño puede parecer, a primera vista, menos trágica que la muerte de un ser querido o un divorcio, pero no es menos dura de sobrellevar en algunos casos. Recuerdo la situación de un bibliotecario que acababa de jubilarse. Al principio se sentía muy feliz de no tener que ir ya al trabajo cada mañana; pero poco a poco empezó a aburrirse, a sentirse mal, hasta caer en la depresión. Los días se le hacían muy largos; se sentía inútil y no encontraba razones para vivir. Cuando me habló de ello, le pregunté si había hecho el duelo de su biblioteca. Mi pregunta le intrigó y le cogió de improviso. Le invité entonces a que fuera a despedirse del fichero central que él había ayudado a crear durante sus treinta años de servicio. Siguió mi consejo. Oculto entre dos estantes de libros, dijo su adiós a los lugares a los que había consagrado su tiempo, su trabajo y su abnegación. Se sorprendió llorando a lágrima viva. No lloraba por las cosas que había dejado, sino por lo que ellas representaban: treinta años de dedicación a una tarea que le había hecho feliz.

La persona en duelo experimenta también un sordo sentimiento de cólera, que puede tomar diversas formas: irritabilidad, descontento, impaciencia, frustración, etc. Se trata de una protesta camuflada contra la ausencia cruel de un ser amado, de un ideal, de una actividad o incluso de un simple objeto. No es raro, por ejemplo, oír a inmigrantes hacer una crítica acerba de su país de adopción. Una señora de origen italiano me confesaba que las flores de Canadá no tenían ninguna fragancia en comparación con las de Italia. Otro me hablaba de la poca hospitalidad de los canadienses. Evidentemente, esas personas no habían hecho el duelo de su país de origen.

Hay otras personas en duelo que dirigen su cólera contra ellos mismos. Tienen un sentimiento de culpabilidad, que en muchas ocasiones son ellos mismos los primeros que cultivan. Algunos tienen la impresión de no haber hecho lo suficiente en su vida. Otros se acusan de no haber amado suficientemente a la persona desaparecida. Algunos jubilados se sienten culpables de haber dejado sus amigos, porque tienen la impresión de haberlos abandonado. Personas recientemente divorciadas se dedican a lamentar su felicidad pasada y se odian a sí mismas por no haber sido más tolerantes con su «ex».

La expresión de las emociones alcanza su cima en el momento del «gran grito». La persona en duelo toma repentinamente conciencia de que ha perdido definitivamente a la persona o el objeto amado. Se deja arrebatar su última esperanza de reencontrarlo o de volver atrás. El «gran grito» se reconoce en la intensidad del dolor que se expresa, entonces, en lágrimas y en lamentaciones. Tras esta vibrante descarga de emociones, la persona en duelo experimenta habitualmente una paz profunda, e incluso a veces estados místicos.

4. La asunción de las tareas ligadas al duelo

Cuando ha avanzado bastante el trabajo emocional del «soltar presa», la persona en duelo tiene que pasar a la acción y poner en regla los asuntos ligados a la separación. En el caso del fallecimiento de un ser querido, por ejemplo, se trata de poner en regla todo lo referente a la sucesión y herencia, al enterramiento definitivo según lo que uno cree que debe hacer y los ritos propios de su cultura, de realizar las promesas hechas al difunto, etc. Una persona que se jubila deberá hacer sus despedidas, vaciar de sus efectos personales su sitio de trabajo, reorganizar su tiempo y sus actividades, acabar de cumplimentar todos los formularios al uso, quizás, a veces, hasta descubrir nuevos amigos que sustituyan a sus colegas de trabajo, etc. Las tareas a realizar varían según sea el tipo de separación. Estas actividades en apariencia insignificantes contribuirán a que se acelere el proceso de «soltar presa».

5. El descubrimiento del sentido de su pérdida

La expresión de sus sentimientos y la ejecución de las tareas ligadas al duelo permiten a la persona tomar distancias respecto a la ruptura y resituarla en sus verdaderas proporciones. Para progresar en la resolución de su duelo, le falta todavía descubrir que opciones le permitirán proseguir su ruta. En vez de quedarse desamparada y aplastada, está en disposición, de ahora en adelante, de aprovecharse del mayor grado de madurez que la pérdida le ha permitido adquirir. He aquí algunos ejemplos de acciones positivas realizadas por algunas personas tras la pérdida sufrida. Para algunas, era su propia misión, que ahora se les revelaba claramente.

Una esposa abandonada por su marido se encuentra sin recursos; aquella desgracia le mueve a terminar sus cursos de enfermera, un ideal de vida que la ilusionaba desde su infancia, pero que había tenido que abandonar para cuidar de su familia. Una educadora, profesora de danza, se ve afectada por una esclerosis en placas: ¡se acabó la danza para ella! Pero se dice a sí misma que por ello no ha acabado su vida; y se dedica a realizar su segundo sueño: crear programas de ordenador con ejercicios de francés. Un joven se queda parapléjico tras un accidente de moto; durante su rehabilitación se descubre aptitudes para la electrónica. Un hombre afligido por una inmensa decepción amorosa se sorprende componiendo poemas, él que se creía totalmente desprovisto de talento literario; su desgracia le obligó a entrar en contacto con sus emociones y a desarrollar su talento de poeta. En muchos casos, una herida se convierte en ocasión para que la persona descubra su misión. Lo trataremos más detalladamente en el capítulo siguiente.

6. El intercambio de perdones

El perdón es un medio excelente para «soltar presa». Mi experiencia personal me ha permitido constatar su importancia en el proceso de duelo. Para lograr hacer el duelo de una persona, tanto si ha fallecido como si vive, importa mucho perdonarla. El que piense dejar una relación, una situación o un lugar de trabajo manteniendo su corazón lleno de resentimiento, de amargura y de cólera sorda, sufre espejismos y se engaña, porque arrastra consigo un gravoso pasado.

Un día preguntaron a un antiguo prisionero de guerra si había perdonado a sus verdugos. Afirmó que nunca los perdonaría. Su interlocutor le dijo: «Entonces, usted no ha salido todavía de su prisión».

7. Entrar en posesión de la herencia

La última etapa de la resolución de un duelo consiste en recuperar el afecto que dedicamos al ser querido, a la actividad o al objeto apreciados. En otras palabras, la herencia consiste en reapropiarse del afecto, de las esperanzas, de los sueños y de las expectativas de que habíamos rodeado al ser querido. He aquí un ejemplo. Una amiga mía acababa de dejar su puesto de directora de una agencia de servicios sociales. Le invité a recoger la herencia y las rentas de lo que ella había invertido durante quince años en su trabajo. Ella concibió el siguiente ritual para la fiesta de despedida que se había organizado con ocasión de su marcha. Al final de la velada, abrió la maleta que había recibido como regalo; y dijo a sus compañeros de trabajo que deseaba partir con todos los momentos felices que habían vivido juntos. Hizo entonces el gesto de tomar las manos de su secretaria y depositarlas en su maleta, significando con ello su deseo de heredar su espíritu de servicio; hizo lo mismo con la sonrisa de su asistente, símbolo para ella de su buen humor; también lo hizo con los hombros de otro, signo de su tesón en el trabajo; y así sucesivamente fue haciéndolo con cada uno de sus colegas. Para terminar, cerró la maleta y les declaró que se marchaba con su maleta llena de todas las riquezas que había vivido entre ellos.

¿Cómo llevar a cabo el «soltar presa»?

El medio más eficaz para «soltar presa» es contar la historia de su pérdida y expresar la propia vivencia emocional que se siente. Si la persona en duelo tiene la suerte de encontrar oyentes atentos y que estén realmente presentes a ella, podrá narrarse a sí misma, liberarse de su carga emocional y recobrar su aplomo psicológico.

Para soltar presa, es importante evaluar debidamente la gravedad de la pérdida. Podemos hacerlo respondiendo a las siguientes preguntas: «¿Qué representaba para mí esa persona o realidad? Y también: «¿Qué energías he gastado en esa persona o en esa situación?» Así puede medirse el valor subjetivo de lo que se ha perdido. Esta toma de conciencia, por muy dolorosa que sea, permite entrar más a fondo en el duelo y resolverlo lo más rápidamente posible.

Rituales del «soltar presa»

Un ritual es un teatro del alma en el que se lleva a cabo, de una forma simbólica, el cambio que uno desea ver que se produzca en su vida. Ese ritual tiene el poder de indicar al inconsciente lo que tiene que hacer para liberarse de un pasado ya obsoleto. El hecho de vivir un ritual con personas amigas ayuda a veces a hacer realidad el desprendimiento que permitirá, seguidamente, asumir la misión propia. He aquí algunos ejemplos. Cuando quiso desprenderse interiormente de los sucesos de su pasado, un amigo mío se puso a limpiar su granero, su bodega y su garaje. Para significar que tenía que abandonar un empleo muy lucrativo para realizar su misión, un hombre quemó un billete de banco. Una mujer quería liberarse de una falsa creencia que le había inculcado su padre; éste le había hecho creer que al nacer había llevado a su madre a la muerte. Para librarse de este secreto de familia, reunió a unos cuantos amigos para un ritual: primero hizo que le atasen los brazos y las piernas, para mostrarles cómo su padre la había tenido mucho tiempo paralizada con aquella falsa creencia; luego, con unas tijeras, que apenas conseguía manejar al estar atada, logró romper sus ataduras, significando así que su padre ya no ejercería ningún influjo sobre ella.

Otra mujer había tenido que sufrir una histerectomía, con lo que se acaba para ella toda esperanza de maternidad biológica. Decidió entonces vivir un ritual que le ayudara a pasar a una nueva etapa de su vida. Procedió de esta forma: le pidió al cirujano que conservase su útero en formol; cuando se recuperó de la operación, convocó a sus amigos en la finca de uno de ellos para un ritual de transición: deseaba significar que, al haberse hecho imposible su maternidad física, se convertiría en madre espiritual para sus clientes en psicoterapia. Hizo un hoyo en la tierra y depositó allí su útero; y luego, sobre él, plantó un árbol, símbolo de su nueva maternidad.

5
Curar las heridas
para descubrir la misión propia

A veces nos volvemos hacia Dios
cuando tiemblan nuestros fundamentos,
y nos damos cuenta
de que es Dios mismo
quien los sacude.
(Anónimo)

En los talleres sobre el tema *Descubrir la misión propia*, con gran sorpresa por mi parte, son bastantes los participantes que se sienten incapaces de identificar su proyecto de vida, por estar demasiado embebidos en las heridas del pasado. No logran franquear la etapa anterior, la del «soltar presa», y concentrarse en el descubrimiento de su identidad. Tengo, entonces, que insistir más en el tiempo dedicado a la etapa del «soltar presa». En efecto, no sólo es importante hacer los duelos, sino que además hay que curar las heridas mediante el perdón.

Los casos siguientes de «heridos de la vida» ilustran muy bien los bloqueos que ponen trabas a la prosecución de la misión. Una joven, víctima de una violación, no se perdonaba haberse expuesto a la situación peligrosa en que fue violada: no podía confiar en los hombres que, para ella, no eran más que potenciales violadores. Un joven, abandonado por su padre, ya no se sentía capaz de llevar adelante su vocación de cooperante. Y otro, tras un fracaso en su noviazgo, se creía incapaz de volver a amar y de construir una vida de pareja. Después de haber quebrado su empresa, un hombre de negocios se despreciaba y se mantenía duro y amargo respecto a sus acreedores; para él no eran más que buitres que no le habían dado la menor oportunidad de salir adelante.

No es raro que las personas afectadas por una prueba se sientan incapaces de curar y de construirse un nuevo porvenir. Se sienten inclinadas a vegetar en el resentimiento, reavivando constantemente el dolor por la ofensa sufrida. Permanecen pegadas a un pasado doloroso que estropea su presente y que les impide pensar en un porvenir prometedor. El miedo a verse heridas otra vez les angustia y les cierra a toda perspectiva de riesgo y de éxito. Han perdido la confianza en sí mismas y no ven la manera de realizar sus sueños. La búsqueda de su misión seguirá siendo imposible hasta que no hayan conseguido sanar de sus heridas.

Pondremos de relieve, en un primer tiempo, la necesidad de emprender un proceso de perdón para curar y liberarnos de las ofensas sufridas. En segundo lugar, subrayaremos cómo una buena curación y asumir la herida permite descubrir un nuevo sentido a nuestra vida, e incluso a nuestra misión.

Curar las heridas gracias al perdón

Los psicólogos descubren cada vez más el valor curativo del perdón. Encuestas realizadas entre personas que practican el perdón para curarse han mostrado que en esas personas se produce una disminución notable de la ansiedad, de la depresión, de los accesos de cólera, así como un claro aumento de su autoestima. Estos efectos terapéuticos, constatados específicamente, duran y se prolongan durante años[1].

---

1. ENRIGHT, R. y NORTH, J. (eds.), *Exploring Forgiveness*, University of Wisconsin Press, Madison 1998, pp. 58-59 y 71.

Por consiguiente, será útil recordar aquí, brevemente, las etapas del perdón que presento en mi anterior obra *Cómo perdonar*[2].

Decidir perdonar en vez de vengarse

Se esboza un proceso de perdón cuando se toma la firme decisión de no vengarse y de hacer que cese la ofensa.

Es importante desarrollar en la vida una actitud de perdón en vez de esperar a decidir en cada ofensa si será ese camino del perdón el que uno elija. Incluso es necesario prevenirse de antemano contra la reacción instintiva de venganza. En efecto, la idea de venganza es tan espontánea que se impondrá sobre cualquier «veleidad» de perdón.

Cuando uno piensa en vengarse, sueña habitualmente en toda clase de actos violentos; es la forma activa de la venganza. Existe además una forma pasiva de la venganza que se nutre de una sorda cólera que impide a la persona vivir y dejar que vivan los que le rodean. Se manifiesta de varias maneras: depresión, nostalgia, malhumor, falta de iniciativa y de entusiasmo, apatía, sequedad de corazón, estado permanente de un aburrimiento indecible, etc. ¡Cuánta energía despilfarrada! Se envenena entonces la vida de uno mismo y la de las personas cercanas.

Por otra parte, la decisión de «no hacer pagar» al ofensor no significa dejar que se perpetúen los malos tratos. Al contrario, hay que utilizar todas las fuerzas de afirmación que uno tenga para poner fin a las violencias del ofensor, pero de forma no violenta. Recurrir a la violencia sería ceder al instinto de venganza.

---

2. MONBOURQUETTE, J., *Comment pardonner? Pardonner pour guérir, guérir pour pardonner*, Novalis, 1992 (trad. cast.: *Cómo perdonar. Perdonar para sanar. Sanar para perdonar*, Sal Terrae, Santander 1995[2]).

Algunos han acusado a los «perdonadores» de pusilanimidad. Su acusación sería justa si las víctimas renunciasen a protestar contra el ofensor. La decisión de perdonar no es ni mucho menos un gesto de cobardía; al contrario, comienza con un acto de coraje y de protesta contra todas las formas de «victimación» de uno mismo. Si así no fuera, el perdón sólo sería un engañabobos.

Reconocer la herida propia

Si la persona herida se empeña en olvidar la ofensa, en excusar al ofensor y en negar que su emotividad ha sido herida, nunca llegará a perdonar. Sin caer en el masoquismo o complacerse en el estado de víctima, tiene que reconocer simultáneamente la ofensa del otro y la herida propia. Si no lo hace, la ofensa recibida seguirá haciendo estragos en su sensibilidad y en su emotividad y minará sus energías de modo inconsciente. Negar la herida o aparentar negarla bloquea todo proceso de perdón. Esta estrategia de negación lo único que en realidad consigue es hundir la herida en el inconsciente. Y entonces lo único que queda, a nivel consciente, es el sordo malestar, la depresión palpable, las repentinas irritaciones o unos locos deseos de olvidarlo todo.

Contar nuestra herida a alguien

Para poder tomar mejor conciencia de todo el impacto que la ofensa ha producido sobre uno, no existe medio más eficaz que confiarse a alguien. Si el ofensor se muestra dispuesto a reconocer su responsabilidad, es a él a quien primero hay que hablar. Existen entonces muchas posibilidades de que el ofendido esté plenamente dispuesto a perdonarle. En efecto, afirma un antiguo proverbio: «Pecado confesado, pecado medio perdonado».

Por desgracia, no siempre el ofensor está dispuesto a confesar su responsabilidad, o es imposible entrevistarse con él. En estos casos, lo mejor que hay que hacer es encontrar a una persona empática, capaz de escuchar el relato de nuestras desventuras. Se derivarán de ello notables ventajas: veremos la situación penosa a otra luz; sentiremos un gran alivio al compartir el peso de nuestra pena; tendremos mayor capacidad de encontrar soluciones inéditas y descubriremos en nosotros mismos más coraje para aplicarlas.

Identificar bien la parte herida en nosotros,
para hacer el duelo sobre ella

Bajo el impacto de una ofensa, sucede que no siempre discernimos con exactitud la parte de nuestro ser que ha quedado maltratada. Lo más frecuente es tener la impresión de que es toda nuestra persona la que ha sido desollada. El espejismo de haber sido afectado tan gravemente conduce a la impotencia de reaccionar e impide emprender el más mínimo proceso de perdón. Debemos evitar a toda costa complacernos en nuestro estado de víctimas. Lo que tenemos que hacer, más bien, es aplicarnos a discernir la verdadera naturaleza de la herida. Algunas preguntas nos ayudarán a hacerlo: ¿Qué parte, exactamente, de mí mismo ha sido herida? ¿He sido alcanzado en mi dignidad, en alguna de mis cualidades y en cuál de ellas, en mi autoestima, en mi orgullo, en el amor a los míos, en mis bienes materiales, etc.? No pocas veces, lo que saldrá a la superficie será una antigua herida de la infancia, que todavía no se ha curado. Llegar a la comprensión exacta de la naturaleza y de la amplitud de la herida, sin exagerarla, facilitará el proceso de duelo.

Manejar bien la cólera

Una de las principales dificultades que se encuentran en el camino del perdón es la de saber manejar la propia cólera. Ésta reviste diversos aspectos, sea la forma camuflada de la frustración, del descontento, de la decepción, de la irritación, sea la forma de la cólera explosiva, de la ira, del furor, de la rabia. No canalizada, la cólera corre el peligro de crear en la persona serios bloqueos; y entonces uno se convierte en un «agresivo pasivo». La persona se ve, entonces, nerviosa y excitada por perpetuas cavilaciones y rumias, corroída por el resentimiento y habitada por los obsesivos fantasmas de la venganza. Si uno vuelve su cólera contra sí mismo, el peligro será verse atormentado por un fuerte sentimiento de culpabilidad. Si la descarga sobre los demás, infligirá heridas injustas a personas inocentes, la mayor parte de las veces las más cercanas. En fin, proyectará su agresividad sobre su entorno; y no sólo tendrá miedo de la agresividad de los demás, sino de la suya propia.

Idealmente, manejar bien la cólera de uno mismo consiste en reconocer su presencia, en recibirla como propia, en adueñarse de ella y en expresarla de una forma constructiva. En vez de reprimirla, hay que servirse de ella para protestar contra los malos tratos del ofensor. La cólera no es en sí misma una emoción «negativa», como con demasiada frecuencia se da a entender. Al contrario, sirve para proteger la integridad amenazada de la persona. Una vez expresada adecuadamente, se irá diluyendo para dejar sitio a otra emoción subyacente, habitualmente la tristeza. La aparición de la tristeza hará posible el trabajo del duelo con vistas al perdón.

Recrear la armonía en uno mismo

Esta etapa constituye un giro decisivo en el proceso del perdón. Perdonarse a sí mismo es dejar de ser uno mismo su propio verdugo. En efecto, siempre que hay una ofensa grave, se pone en movimiento un curioso mecanismo de defensa: la víctima se identifica instintivamente con el ofensor, lo imita y sigue haciéndose daño a sí misma.

Por consiguiente, para recrear la armonía en sí mismo, habrá que cesar de acusarse y machacarse a golpe de reproches: «¡Tenía que haberlo previsto! ¿Por qué me permití amar a semejante persona? ¿Por qué me siento siempre inclinado a meterme en situaciones de este tipo? ¡Debo de ser un masoquista, un tonto perdido, un estúpido por naturaleza!». Todos esos reproches dirigidos contra uno mismo detienen el avance del perdón. De ahí la importancia de que modifiquemos nuestro diálogo interior y de que aprendamos a tratarnos con bondad y dulzura, como lo haríamos con nuestro mejor amigo en una situación semejante.

Perdonarse es crear la armonía entre dos partes de uno mismo: la que ha sustituido al ofensor y la que es víctima de él. Se trata, por un lado, de desarmar la violencia del verdugo interiorizado haciendo de él un protector y, por otro lado, de restablecer la dignidad de la víctima. Para aprender a crear esta armonía, será útil consultar mi obra *Cómo perdonar*, particularmente el ejercicio orientado a rehacer la armonía interior[3].

Comprender al ofensor

Sería imprudente empezar esta etapa antes de haber recreado la unidad interior. En efecto, sólo después de haber conseguido la armonía dentro de nosotros mismos, estaremos capacitados para acercarnos al ofensor y afrontarle con calma y serenidad. De lo contrario, correremos el riesgo de nadar en la confusión.

El esfuerzo desplegado para comprender al ofensor no significa en absoluto que tengamos que esforzarnos en ex-

---

3. *Ibid.*, pp. 160-162.

cusar su actuación reprobable, y mucho menos darle nuestra aprobación. Lo que se busca es resituarlo en su contexto, lo que permitirá explicarlo mejor. Para hacerlo, podemos hacernos las preguntas siguientes: «¿En qué circunstancias cometió la ofensa? ¿Cómo explicar semejante actuación por su parte?: ¿por la historia de sus propias heridas? ¿por sus antecedentes familiares? ¿por alguna contrariedad que le afectaba? ¿por sus fracasos, sus sinsabores, sus malestares, etc.? Todos los datos adquiridos sobre el ofensor contribuirán a atenuar la severidad del juicio que hagamos sobre él.

Una mejor comprensión del ofensor permitirá además separar su acción de su persona, impidiendo «diabolizarlo» para siempre. Evitando identificar al ofensor con su acto malo y creerle incapaz de cambiar, el ofendido se da la posibilidad de verlo a una nueva luz, como un ser débil, capaz de evolucionar y quizás de arrepentirse.

Encontrar un sentido a la vida después de la ofensa

Las etapas anteriores fueron necesarias para asegurar la curación emocional del ofendido. Una vez emprendida esta marcha, el ofendido tendrá que liberarse y distanciarse de sus vivencias emocionales, sin negarlas desde luego. Este distanciamiento le permitirá situar mejor la ofensa en el conjunto de su vida y deducir de ello un sentido para asegurarse una razón de existir.

Dada la importancia de esta etapa para la curación espiritual, le he reservado la sección final de este capítulo: «Las misiones que se derivan de las pérdidas y de las heridas».

Ahondar en los recursos espirituales

La curación de una herida, tal como la hemos descrito a lo largo de las etapas anteriores, prepara el corazón para perdonar. Pero eso no es más que el esbozo del perdón. Porque el perdón, como indica la etimología de la palabra, significa «don perfecto». Pues bien, un don semejante llevado a la perfección del amor supera ampliamente las fuerzas humanas. «Vengarse es humano, pero perdonar es divino», afirma el proverbio. El perdón excede siempre todos los esfuerzos de la voluntad humana, por muy generosa y magnánima que pueda ser. Exige un plus de amor, una gracia especial que sólo puede venir de Dios. Las religiones tradicionales lo reconocen unánimemente: «Dios es el único que puede perdonar».

La psicología se pregunta actualmente si es posible el perdón sin la ayuda de Dios. Sí, responden algunos psicólogos humanistas que hacen del perdón una simple técnica terapéutica. Yo no puedo admitirlo, ya que entonces se corre el peligro de reducir el perdón a un medio de curación, desviándolo de su finalidad propia que es la superación en el amor a los enemigos. Lo que permite realizar un gesto de tan alta generosidad como es el perdón es el sentimiento profundo de ser amado y perdonado de forma incondicional por Dios. En efecto, ¿cómo se puede amar si no se tiene el sentimiento de haber sido amado? Del mismo modo, ¿cómo se puede perdonar si no se tiene la íntima convicción de haber sido perdonado?

El «perdonador» goza de la gracia divina que confiere un amor completamente especial que supera todo amor humano. Es esa gracia la que le permite perdonar. De hecho, el perdón que él concede no es más que el eco del perdón que Dios le ha concedido antes a él. Hasta cierto punto, el «perdonador» no es el autor de su perdón, sino el sujeto del perdón divino. Sólo la fuerza del perdón recibido de Dios hace al ser humano capaz de perdonar a su vez.

En resumen, el perdón es el fruto de la colaboración entre el esfuerzo humano y el don de Dios. Impide caer en la trampa del deseo de venganza; hace tomar conciencia de la propia herida y la cura; restablece la autoestima y la confianza en los recursos propios; nos recuerda que con la gracia de Dios tenemos poder para crear auténtica novedad. El perdón nos abre al porvenir y hace posible la realización de nuestra misión.

Las misiones que se derivan
de las pérdidas y de las heridas

Viktor Frankl no compartía el pansexualismo de Freud, según el cual el principio de placer era la motivación principal del obrar humano. Durante la segunda guerra mundial, Viktor Frankl estuvo en los campos de concentración nazis. Salió de ellos con la convicción de que la única razón que le impidió suicidarse fue estar convencido de que la vida tiene un sentido y que era a él a quien le correspondía encontrarlo. De su experiencia concluyó que ni la voluntad de placer ni la voluntad de poder comandaban al ser humano, sino más bien la voluntad de dar un sentido a la propia vida. A propósito de los prisioneros de los campos de concentración, escribe: «¿Ay de los que entonces no encontraban sentido a su vida, de los que no tenían ya ningún objetivo, ninguna razón para seguir adelante! ¡Ya estaban condenados!»[4]. Y añade que, sea cual fuere el grado de sufrimiento al que uno está sometido, siempre es posible encontrar una razón de ser o de vivir.

El vacío creado por la ausencia de un ser querido o por la pérdida de un bien precioso exige ser llenado eventualmente. Para vivir en plenitud, y no solamente subsistir, la persona en duelo o la víctima puede y debe encontrar un nuevo sentido a su vida. Después de la muerte de su marido, una mujer me confiaba: «Mi vida se parece a un libro con sus páginas en blanco. No sé qué escribir en él». Le pregunté entonces qué título daría a su libro. Tras un momento de vacilación, exclamó: «¡Sigue adelante, Chantal!».

---

4. FRANKL, V., *Découvrir un sens à sa vie avec la logothérapie*, Les Éditions de l'Homme, Montréal 1988, p. 91.

Es muy notable y hasta paradójico que frecuentemente muchos descubren una nueva orientación para su vida en vinculación con la pérdida o la herida que han sufrido. Su vocación emerge de sus duelos, de sus sinsabores o de sus pruebas. Pienso en aquella mujer que, víctima de la violencia conyugal, fundó una casa para mujeres maltratadas; en aquella pareja, cuyo hijo fue matado por un conductor borracho, que se entregó a la misión de forzar a las autoridades a mostrarse más dinámicas en castigar a los conductores ebrios; en aquel parapléjico que ocupa lo mejor de su tiempo en recoger fondos para ayudar a otras personas inválidas. Son muchos los ejemplos que podría citar.

Las personas con alguna minusvalía o las víctimas de una enfermedad crónica se muestran, no pocas veces, como los mejores ayudadores. Han sido ellas las que han fundado la mayor parte de los organismos de ayuda mutua que encontramos en la sociedad. Como consecuencia de su desgracia, han sacado de sus recursos personales, ignorados hasta entonces, energías para curarse a sí mismas y para ayudar a otros a curarse. Esas personas comprenden mejor a los que sufren un mal semejante al suyo; conocen los caminos de la curación. Puede decirse que se han iniciado en la vocación de «sanadores heridos».

Son muchas las personas que han encontrado, como consecuencia de una prueba, una nueva razón para vivir. Por el contrario, otros se dejan caer en la depresión, juegan a ser mártires, alimentan un tenaz malhumor o piensan en el suicidio. Los que escogen mantenerse en esos estados emocionales acaban perdiendo aún más. En una conferencia que pronuncié en París, expuse la posibilidad de dar un nuevo sentido a la propia vida después de la muerte de un ser querido. Sufrí entonces los rayos coléricos de una mujer sumida en el duelo por la muerte de su hijo. Se puso a atacar a todo el mundo de la sanidad, médicos y psicólogos incluidos. Tuve la impresión de que sentía más satisfacción en exhibir en público su cólera de madre desolada que en trabajar por hacer el duelo de su hijo y encontrar un sentido a su sufrimiento. Me hice la siguiente reflexión: una rabia como aquella contra los médicos, enfermeros y todo su entorno tendrá, un día u otro, efectos nocivos sobre la salud de algún otro miembro de la familia de esta mujer. Y pude comprobar el acierto de mi predicción cuando supe que otro hijo suyo había muerto de leucemia.

No se trata ciertamente de negar la desgracia que nos aflige. Pero, como recuerda Viktor Frankl[5], siempre tenemos la posibilidad de modificar nuestra actitud ante la desgracia para vivirla mejor. James Hillman[6] escribe que no se trata tanto de preguntarnos: «¿Qué he hecho yo para que me pase esto», ni «¿Por qué esto sólo me pasa a mí?», sino de interrogarnos: «¿Qué espera de mí mi ángel?».

El descubrimiento de nuestra misión como consecuencia de una prueba nos permite experimentar una nueva libertad interior y descubrir horizontes nuevos. Salimos enriquecidos de una experiencia que podría habernos destruido. Somos más sensibles a las llamada de nuestra misión. Vislumbramos mejor cómo nuestra acción en favor de otros afligidos les proporcionará la esperanza que necesitan.

Para ayudarte a encontrar una nueva razón para vivir después de una gran desgracia, te propongo que respondas a esta serie de preguntas. Están orientadas a transformar tu herida en ternura, en apertura a los demás y en descubrimiento de tu misión.

¿Qué he aprendido de mi duelo o de la ofensa que he sufrido?

¿Qué nuevos recursos de vida he descubierto en mí?

---

5. *Ibidem.*
6. HILLMAN, J., *The Soul's Code: In Search of Character and Calling*, Warner Books, New York 1997 (trad. cast.: *El código del alma*, Martínez Roca, Barcelona 1998).

¿Qué limitaciones o fragilidades he descubierto en mí y cómo he podido manejarlas y administrarlas?

¿Me he hecho más humano y compasivo con los demás?

¿Qué nuevo grado de madurez he alcanzado?

¿En qué me ha iniciado esta prueba?

¿Qué nuevas razones para vivir me he dado?

¿En qué punto, y hasta dónde, mi herida me ha revelado el fondo de mi alma?

¿En qué medida he decidido cambiar mis relaciones con los demás y, más particularmente, con Dios?

¿De qué forma voy a seguir en adelante el curso de mi vida?

Tercera parte

Compás de espera

6
El periodo de «margen» y de sombra

¡Maldito invierno..., maldito vagabundeo!
¡Tanto tiempo perdido en no saber qué hacer:
vacío, compás de espera, oquedad,
incomodidad, indecisión, estancamiento, duda,
vacilación, niebla oscura, incertidumbre...!
¡Tiempo vacío, tiempo perdido...!
¡Maldito vagabundeo!
¡Acabar con ello cuanto antes! ¡Salir... por fin!

¿Por qué este homenaje al invierno,
al tiempo de pausa, al esencial vagabundeo?
¿Estación maldita o estación mal amada?
¿Estación despreciable o despreciada?
¿Estación desconocida? ¿Estación por descubrir?
¡Estación a domesticar amablemente!
(Michelle Bergeron)

Después de haber finalizado los duelos y perdones, se entra en un periodo que podemos llamar «de margen». Es una etapa esencial de profundización de la propia identidad y, en consecuencia, de descubrimiento de la misión propia. Es grande la tentación de evitar este tiempo incómodo, por ser aparentemente inútil y vacío.

Inspirándose en el trabajo del antropólogo Van Gennep[1], William Bridges propone un modelo de transición en tres

---

1. VAN GENNEP, A., *The Rites of Passage*, University of Chicago Press, Chicago 1969 (trad. cast.: *Los ritos de paso*, Taurus, Madrid 1986).

tiempos: el de soltar presa, que consiste en liberarse del estado anterior; el compás de espera o periodo de «margen»; y la nueva entrada en la comunidad. Van Gennep ha observado este tiempo de transición en los ritos iniciáticos de las sociedades tradicionales. Después de haber separado a los futuros iniciados de su familia, los iniciadores les exigían un tiempo de reclusión llamado «tiempo de margen», durante el cual les hacían morir simbólicamente a la infancia y les enseñaban sus funciones de varón o de mujer.

Más de una tradición espiritual recomienda este periodo intermedio hecho de soledad, de silencio y de meditación. Los neófitos se retiran de todas sus actividades cotidianas, de la oleada invasora de informaciones, de sus preocupaciones, de sus compromisos sociales, de las funciones y expectativas que les impone su entorno. Este retiro en la soledad y el silencio les permite tomar conciencia de su identidad y, eventualmente, de su misión. Los grandes personajes llamados a ejercer una misión importante se dieron también un tiempo de «margen» para responder al «¿quién soy yo?» y reflexionar sobre su llamada. Pensemos en Jesús, que pasó cuarenta días en el desierto para tomar conciencia de su identidad de Hijo de Dios, antes de emprender su misión.

Naturaleza del periodo de «margen»

Es mérito de William Bridges haber resaltado la importancia de este periodo de «compás de espera», muchas veces olvidado por los «transitantes» de nuestros días, demasiado preocupados por hacer caso omiso de sus duelos y por lanzarse a una nueva aventura. Habla de este periodo como de la «zona neutra», porque parece que en ella no pasa nada. Por lo demás, los diversos autores lo llaman de diversas formas: periodo intermedio, compás de espera, tiempo de «margen», vagabundeo esencial; más poéticamente, se le asemeja al invierno. En efecto, parece ser un tiempo de frialdad, rígido, en apariencia estéril e improductivo.

En el plano psicológico, esta etapa de transición es época de flotación, de inactividad aparente, incluso de confusión, de vacío, de incubación espiritual y de exploración. Se vive en él un malestar sordo; se aferra uno desesperadamente al pasado o intenta huir hacia adelante. Se tiene la impresión de estar dando vueltas sobre lo mismo, de tropezar, de encontrarse ante la nada; incluso se tiene el sentimiento de que uno ya no es nada. He aquí algunos ejemplos: queda uno despedido de su empleo, ha de dejar un puesto que suponía un status social particular, se ve separado de su pareja, ve marcharse a sus hijos o pierde la salud. En adelante, ya no podrá definirse por sus relaciones sociales; se encontrará entonces sin puntos de referencia precisos para saber quién es él exactamente. Pues bien, a pesar de las apariencias, se trata de un momento de gracia que se le ofrece a la persona para que se mire mejor y explore su identidad profunda.

Michelle Roberge describe de este modo el periodo de «margen»: «Cuanto más trabajo, experimento, vivo, descubro y profundizo en esta idea de vagabundeo, esta estación de transición, tanto más consciente me hago de su carácter misterioso, extraño, desconcertante y, sin embargo, siempre fascinante»[2]. Inconfortable, este periodo suele dar miedo. Se prefiere negarlo o pasarlo por alto. Tiene la particularidad de crear un sentimiento de vacío, como el del trapecista que, después de lanzarse desde un trapecio, espera al otro que tarda en llegar. Se vive un momento de angustia y desamparo, sin saber dónde agarrarse para resolver la crisis de identidad.

---

2. ROBERGE, M., *Tant d'hiver au coeur du changement*, Éditions Septembre, Sainte-Foy 1998, p. 119.

Periodo difícil, pero necesario porque fecundo

Este periodo fluctuante, lejos de ser inútil, es un pasadizo obligado para reencontrarse y reorientarse. Por su conocimiento de las etapas del cambio, William Bridges ha sabido encontrarle una función importante. Permite explorar nuestra interioridad y dejar que surja en ella el gran sueño de nuestra vida. Periodo fecundo, a pesar de sus apariencias de esterilidad; en él se produce una gestación semejante a la del invierno. Es un tiempo en el que se ejerce una creatividad misteriosa. Como toda obra de creación, el descubrimiento de la misión propia depende de un tiempo de maduración necesaria, de incubación. Cuando el artista atropella su inspiración, produce una obra superficial que sabe a cliché; lo mismo ocurre con la creación de la misión propia. La persona tiene que permanecer largo tiempo en la confusión antes de tener una idea original y clara de su misión.

Consejos para vivir bien el periodo de «margen»

Los maestros espirituales conocen bien ese desierto psicológico que da al sujeto la impresión de estar muriendo. Pero si se tiene la paciencia de permanecer en él, el desierto se pondrá a florecer. Para gestionar mejor este tiempo de «margen» se recomiendan varios medios:

- Retirarse, darse un tiempo de parada para romper con las preocupaciones cotidianas.

- Escoger un ambiente sereno, por ejemplo en la naturaleza, en la que la observación de un riachuelo, de las plantas y de los animales sugiere la paciencia.

- Escoger la soledad y, en el silencio, aprender a ir más allá de la charlatanería del propio diálogo interior y a captar las aspiraciones del alma.

- Hacer ejercicios de interioridad; llevar un diario; escribir la autobiografía; orar para pedir ayuda, etc.

- Orar para llegar a una nueva visión de la misión propia, dejando que vaya emergiendo el sueño de un ideal.

- Hacer una peregrinación. La peregrinación simboliza al alma en marcha para alcanzar un objetivo espiritual.

Algunos amigos míos, que han caminado durante más de un mes en peregrinación a Santiago de Compostela, me han confiado que sintieron su alma desnuda, lo cual les permitió entrar en contacto directo con su sombra, esa cara oculta de ellos mismos. De hecho, el periodo del «compás de espera» favorece la emergencia de la sombra de la personalidad. Propongo a continuación algunos ejercicios concretos de exploración y de reintegración de la sombra.

La sombra, ese tesoro enterrado por miedo

¿Qué es la sombra?

La sombra es todo lo que hemos arrinconado en el inconsciente por miedo a vernos rechazados por las personas importantes de nuestra vida. Hemos reprimido ciertos comportamientos o aspectos de nuestra personalidad por no perder su afecto, por no decepcionarles o hacerles sentirse mal. No hemos tardado mucho en discernir lo que era aceptable a sus ojos y lo que no lo era. Entonces, por no disgustarles, nos hemos apresurado a relegar amplias porciones de nosotros mismos a las mazmorras del inconsciente. Hemos hecho todo lo que hemos podido por esquivar su más pequeña desaprobación verbal o tácita.

La sombra es la antítesis del yo ideal llamado *persona*, esa facultad de adaptación que nos mueve siempre a corresponder a las expectativas de nuestro ambiente y, más en concreto, a las de nuestros educadores. La *persona* cree necesario reprimir ciertos aspectos importantes de su personalidad en el inconsciente o, con palabras del poeta Robert Bly, en el «saco de la basura». Bly afirma que, hasta la treintena, vamos llenando nuestro saco para dar gusto a los demás y hacernos aceptar por ellos. Y luego, hay que vaciarlo y recuperar todo lo que en él habíamos dejado inhibido.

La sombra y la misión

La sombra detenta la llave de la misión de una persona. Está más cerca de su Centro que la *persona*, pues ésta, por su parte, está más orientada hacia las expectativas de su entorno. Más cerca del Yo-mismo, la sombra refleja mejor las aspiraciones de mi yo profundo. Para adquirir un mejor conocimiento de sí mismo, es importante sacar del «saco de la basura» las partes de uno mismo que no se han desarrollado, que han sido ignoradas o rechazadas. Es condición requerida para descubrir los deseos profundos del propio ser y, como consecuencia, aquello a lo que uno está llamado como individuo.

La reintegración de la sombra, una baza para la búsqueda de la misión propia

El ejercicio de reintegración de la sombra no se orienta tanto a descubrir quién *soy yo*, cuanto a dar a conocer quiénes *somos nosotros* con nuestras sub-personalidades. En efecto, nosotros somos seres plurales. Seguramente tendréis la sensación de que sois una personalidad única; pero a veces os sorprenderéis, al entrar en contacto con personas distintas unas de otras, de ver que no sois ya vosotros mismos. Algo así como si os revistieseis de otra personalidad.

La verdad es que sois una personalidad polivalente, que revela diversos aspectos de vosotros mismos según las situaciones y las circunstancias.

El obstáculo más frecuente para el descubrimiento de la misión propia procede de la fragmentación de la identidad propia en sub-personalidades. Como cada una de estas sub-personalidades impone su dirección, su energía se dispersa en vez de concentrarse. Es lo que ocurre, por ejemplo, con muchos jóvenes adultos que se sienten indecisos, al verse solicitados por diversas voces: las expectativas del padre, las aspiraciones de la madre, los deseos de los amigos, las solicitaciones del entorno, la atracción por el consumo, etc. Por haberse puesto a escuchar demasiado a los demás, han dejado de escuchar la voz de su orientación profunda. Se da también el caso de jóvenes llenos de talentos que no saben hacia dónde ir ante la abundancia de opciones posibles. Conocí a un joven adulto que no lograba decidirse, al verse dividido entre sus muchas aspiraciones: deseo de ser sacerdote, afición a la electrónica, aptitud para las artes. Y acabó vegetando, ya que, para él, elegir era limitarse.

Así pues, la dispersión constituye un obstáculo de primer orden para el discernimiento de la misión propia. Al contrario, el esfuerzo que ponga la persona por hacer que converjan todas sus sub-personalidades creará una sinergia que le hará capaz de descubrir e iluminar su misión, además de darle el coraje necesario para llevarla a cabo.

Para una mejor comprensión de la sombra y de sus riquezas, he aquí una serie de ejercicios que permitirán, en un primer tiempo, captar e identificar las facetas de la sombra de cada uno y luego, en un segundo tiempo, reintegrarlas. Los que deseen saber más sobre este tema podrán consultar mi obra *Reconciliarse con la propia sombra*[3].

---

3. MONBOURQUETTE, J., *Apprivoiser son ombre*. Novalis, Ottawa 1997 (trad. cast: *Reconciliarse con la propia sombra. El lado oscuro de la persona*, Sal Terrae, Santander 1999).

Conocimiento de la sombra

Llegar a conocer la sombra que hemos ido cristalizando en nuestro inconsciente durante muchos años no es tarea fácil. Sucede con frecuencia que, al acercarnos a ella, nos sentimos confusos y un tanto desorientados. En esta tarea hemos de proceder con precaución y humildad, emprenderla cuando nos sintamos en equilibrio emocional y, si es posible, acompañados de una persona de confianza.

He aquí una serie de preguntas que te ayudarán a trazar el perfil de los diversos aspectos de tu sombra. Escribe tus respuestas en un cuaderno. Luego, podrás resumirlas en tu Diario del descubrimiento de tu misión.

PRIMERA PREGUNTA:

¿Cuáles son los aspectos más halagadores de tu yo social que te gustaría ver reconocidos por los demás? Una vez descubiertos algunos de esos aspectos de tu *persona*, pregúntate qué cualidad o rasgo de carácter has tenido que reprimir para ser apreciado y amado. Por ejemplo: si has deseado ser reconocido como persona dulce y amable, generosa y sonriente, muy probablemente habrás tenido que disimular tu agresividad, tu egocentrismo y tus accesos de mal humor. Estas cualidades o rasgos de carácter que te has visto llevado a limitar o reprimir constituyen otras tantas facetas de tu sombra.

Atrévete ahora a reconocer su valor y su legitimidad. Para ello dite a ti mismo: «Tengo derecho a ser combativo; tengo derecho a buscar mi propio bien; tengo derecho a mi mal humor». Al hacer estas declaraciones, manténte atento a las emociones que vayas sintiendo. Serán muy diversas. Unos se dirán: «Me siento confuso»; otros: «Me siento culpable y avergonzado»; y otros: «Me siento lleno de alegría». Con este ejercicio, habrás empezado a domesticar tu sombra.

¿Qué tema o temas de discusión tiendes a evitar en tus conversaciones? ¿La sexualidad, la agresividad, la fe, las ambiciones, la incompetencia, etc.? Lo cierto es que los temas que esquivas revelarán tu miedo a desvelar un lado de ti mismo que consideras molesto. Te sentirás muy poco a gusto al tocar esos temas, a no ser que sientas plena confianza en tu interlocutor. Pero el día en que llegues a hacerlo con una persona discreta y digna de confianza, habrás empezado a reducir un poco de terreno a tu sombra.

TERCERA PREGUNTA:

¿En qué situaciones notas que te pones nervioso, hipersensible y a la defensiva? ¿Qué tipo de observaciones te sobresaltan en esos casos?

¿Te extraña a ti mismo la viveza de tus reacciones? En caso afirmativo, es señal de que acaban de pisar un escondrijo de tu sombra, una zona de ti mismo que no quieres revelar. Tu sensación de incomodidad o tu reacción excesiva demuestran con evidencia que se acaba de desvelar una parte de ti mismo que te empeñas en mantener secreta.

CUARTA PREGUNTA:

¿En qué circunstancias te sientes inferior o tienes la sensación de no tener confianza en ti mismo? ¿Te sientes poco adecuado, es decir, poco competente, poco preparado, poco inteligente, poco discreto? Es la señal de una sombra que desea salir a la superficie.

Durante mis años de estudio, tuve que vivir con un grupo compuesto principalmente por artistas. No acababa de explicarme el malestar constante que sentía, hasta el momento en que tomé conciencia de que yo había dejado de lado y hasta reprimido mi propia expresión artística.

¿Has llegado a ofuscarte ante una crítica que se te ha hecho? ¿Qué tipo de críticas te incomoda intensamente y hasta te irrita?

Tu viva reacción indica que acaba de ponerse al desnudo una faceta de tu sombra. Si las personas que te rodean te hacen con frecuencia esa misma crítica y reaccionas siempre con tanta viveza, es señal de que revelan un aspecto de ti mismo que has ocultado y que no tienes ninguna gana de mostrar.

Otra explicación posible de tu reacción excesiva sería que tienes la impresión de ser el «chivo expiatorio» de un grupo de personas. En ese caso, será una buena oportunidad para que te preguntes qué hay en ti que ha podido incitar a tu entorno a convertirte en el depositario de la sombra colectiva del grupo.

¿A propósito de qué te sientes desconcertado o insatisfecho de ti mismo? ¿Será, por ejemplo, por tu apariencia física o por alguno de los rasgos de tu carácter? En ese caso, es probable que intentes disimular alguna deficiencia real o algo que tú consideras como una debilidad. Es muy probable entonces que tu *persona* te imponga un ideal de éxito, de belleza o de perfección que crees imposible alcanzar.

De todas formas, la aceptación de tus imperfecciones, de tus defectos, de tus deficiencias y de tus errores demostrará que has comenzado a domesticar tu sombra. ¿No estarás, entonces, a punto de adquirir ese comienzo de sabiduría que se llama humildad?

¿Por qué rasgos se distinguía tu familia de las demás de tu entorno? Cada familia tiene sus propios rasgos. Así, se dirá de los Monbourquette: «Son gente honrada»; de los

Tremblay: «Son valientes»; de los Allard: «Es una familia trabajadora»; de los Royer: «Son acogedores». Para conocer tu sombra familiar, busca el rasgo opuesto al que el entorno atribuye a tu familia. Por ejemplo, para que una familia pueda mantener su fama de honradez, habrá tenido que renunciar a utilizar mañas, astucias o diplomacias; para conservar la reputación de valentía, habrá tenido que reprimir toda manifestación de miedo; para ser considerados como una familia trabajadora, habrán tenido que privarse de tiempos de ocio y vacaciones. En cuanto a los Royer, para seguir pasando por acogedores, habrán tenido que renunciar a preservar su intimidad familiar, como les habría gustado hacer.

Reconocerás tu sombra familiar por los comportamientos que tu familia no se ha permitido tener y expresar.

OCTAVA PREGUNTA:

¿Una persona te pone de los nervios, te saca de tus casillas, te resulta molesta hasta obsesionarte? Con seguridad, estás proyectando sobre ella una parte de tu sombra.

Date tiempo abundante para identificar bien, en esa persona, la faceta de su personalidad que suscita en ti semejante antipatía. Para conseguirlo, observa de cerca el modo cómo te molesta e irrita esa característica suya. Por ejemplo, si aborreces la vulgaridad de una persona, es porque contraría tu gusto por la distinción y la discreción. Pregúntate entonces si no te sería ventajoso, para paliar tu excesiva sensibilidad y tu excesiva educación, aprender a ser más directo y más simple en la afirmación de ti mismo. No se trata de que tengas que caer en la vulgaridad, sino de ejercitarte en una mayor franqueza cuando tratas con la gente. Conservando tu distinción y tu educación, tendrás que equilibrar los excesos de esas cualidades mediante una mayor confianza en ti mismo e incluso mayor aplomo. Entonces llegarás a ser una persona más completa que perfecta.

Reintegración de la sombra

Seguramente has llegado a reconocer en ti mismo varias facetas de tu sombra. Te propongo ahora que te hagas con algunos medios para reintégralas. Te animo a que dediques tiempo y a que, cada vez, centres el esfuerzo por la reintegración de uno solo de los aspectos de tu sombra, no lo hagas con varios a la vez.

* Una primera condición que se exige para realizar la reintegración de una faceta de la sombra es que puedas darle nombre. Cuando se lo hayas dado, te sorprenderás de que tienes mayor poder para hacerte con ella. Identificarla es ya un medio para aceptarla. Una sombra ignorada se convierte en malvada y agresiva; pero al contrario, si es reconocida y aceptada, se convertirá en valiosa aliada.

Lo que en tu sombra te parecía hasta entonces «demoníaco» y amenazador se convertirá en *daimon*, es decir, en un buen genio favorable para tu crecimiento y para tu plena realización. Para mí fue una buena baza encontrar en mí mi lado ignorante, el que todavía no lo sabía todo, pero que estaba ávido de saberlo. Pude así conciliar mi lado «omnisciente» con mi lado «ignorante». Ambos cesaron de hacerse la guerra y empezaron a contribuir, uno y otro, a mi crecimiento.

* El segundo medio para lograr la reintegración de tu sombra consiste en imaginarte un diálogo con una persona que te resulta antipática o que te saca de tus casillas. Dirígete primero a ella y dile lo que no te gusta o lo que te asusta en ella. Luego, ponte en su lugar para replicar. Poco a poco, tendrás la impresión de establecer una relación de cooperación con ella. Sigue buscando incluso negociar un intercambio de cualidades o de rasgos de carácter con ella. Por ejemplo, si la persona antipática es muy combativa, pídele que te dé un poco de su combatividad; por tu parte, ofrécele que tome algo de tu suavidad y de tu docilidad.

Una vez terminados estos intercambios, dale las gracias por haberte enseñado ciertos elementos capaces de enriquecer tu propia personalidad. Esta manera de obrar te enseñará no sólo a respetar a tu «enemigo», sino que te brindará además una ocasión para crecer.

* Una tercera estrategia de reintegración de tu sombra consiste en crearte dos símbolos opuestos que unirás en un tercero que integre los dos primeros. Este ejercicio se inspira en la teoría de Berta. Éstas son sus etapas:

1) Creación del primer símbolo.

Encuentra un símbolo (animal, objeto, personaje mítico o novelesco) que exprese lo que te gustaría ser si estuvieses en otro mundo y en otra vida.

Describe sus características. De un carnero macho y montaraz, por ejemplo, dirás que es ágil, altivo, noble, combativo, etc.

2) Creación del segundo símbolo.

Encuentra un símbolo (animal, objeto, personaje mítico o novelesco) que exprese lo que no te gustaría ser si estuvieses en otro mundo y en otra vida. (Este segundo símbolo corresponde a tu sombra).

Describe sus características. De un perro callejero, por ejemplo, dirás que es sucio, huidizo, hambriento, miedoso, sumiso, etc.

3) Pide a tu Yo –el centro de la personalidad que puede armonizar los polos psíquicos– que haga la síntesis de esos dos símbolos.

Extiende los brazos por delante de tu cuerpo a la altura de los hombros, mirando tus manos una tras otra. Imagínate que ves tu primer símbolo, el positivo (por ejemplo, el carnero macho montaraz), en tu mano derecha.

Imagínate, luego, que ves tu segundo símbolo, el negativo (por ejemplo, el perro callejero), en tu mano izquierda.

Mientras te das tiempo para ir poco a poco uniendo tus manos, pide a tu Yo interior, a tu Centro divino, que haga la integración de los dos símbolos y que te ofrezca el símbolo que integre a los dos primeros.

No pocos de los que hacen este ejercicio logran ver mentalmente un tercer símbolo «integrador». Sin embargo, se sorprenden al constatar que el nuevo símbolo reviste muchas veces un carácter sagrado o religioso. Asisten a una creación de su propio Yo que armoniza los dos símbolos aparentemente opuestos. El tercer símbolo crea habitualmente en la persona que lo encuentra mucha calma, serenidad y armonía.

* * *

Para Gregg Levoy, el trato frecuente con nuestra sombra es una ayuda preciosa en el descubrimiento de nuestra misión encerrada en nuestro misterio personal: «Dejarnos caer en caída libre en el mar de nuestra psique en busca de nuestros sueños y pasiones, descender a los pozos de nuestro inconsciente, intercambiar nuestra historia con la de las personas-signo y haber pasado tiempo dialogando con nuestros diablos y nuestros *daimones* interiores, tiene como efecto hacernos menos miedosos de nuestra oscuridad interior»[4].

La recuperación de las energías de nuestra sombra contribuye a darnos una visión más clara de nuestra misión y a hacernos más accesible su realización. Escribe el mismo autor: «Cada vez que hacemos caso a una llamada, aplacamos el miedo que hay oculto en nosotros...»

---

4. LEVOY, G., *Callings: Finding and Following an Authentic Life*, Harmoy Books, New York, 1997, pp. 323-324.

7
La búsqueda de la propia identidad

El aguilucho que se creía gallina

*Alguien que paseaba por la montaña
descubrió un nido de águila abandonado
en el que encontró un huevo.
Lo recogió con delicadeza y se lo confió a un granjero,
con la esperanza de que podría incubarlo una gallina.
Poco después nació un aguilucho
en medio de una camada de pollitos.
La gallina lo cuidó y lo educó
como al resto de sus polluelos.
Un día, el aguilucho vio a un águila
volando por los cielos.
Y dijo en voz alta:
«Cuando sea grande, volaré como ese pájaro».
Los otros polluelos se pusieron a reírse de él, diciendo:
«¡Tú eres un pollo como nosotros!».
Lleno de vergüenza, el aguilucho siguió comportándose
como un polluelo y picoteando granos.*

*Al ver crecer al aguilucho,
el granjero quiso hacerle volar.
Tomándolo en sus manos, lo lanzó por los aires.
Pero el aguilucho, convencido de que no podía volar,
no abrió las alas.
Aterrizó malamente sobre el suelo,
provocando la risa en todo el corral.*

Unos días después,
el granjero hizo una segunda tentativa.
Esta vez se subió al tejado la granja con el aguilucho
y lo lazó al vacío diciéndole:
«¡Vuela! ¡Tú eres un águila!».
Tímidamente, el pájaro abrió sus alas
y se puso a planear por encima de la granja,
hasta que levantó solemne vuelo rumbo a la montaña.

La identidad y la misión van a la par. Toda ignorancia o des-conocimiento de uno mismo es una traba para el descubri-miento de la misión propia. Recordemos que la palabra *identidad* viene del latín *idem*, que significa «el mismo». La identidad remite a lo que se mantiene lo mismo, a lo que es estable y permanente a través de los cambios y vicisitudes de la vida de una persona.

Como consecuencia del vacío que dejó el «soltar pre-sa», emerge y se hace cada vez más acuciante la cuestión: «¿quién soy yo?». En el periodo de «compás de espera» o de «margen», vimos cómo asomaba una crisis de identidad: uno no puede definirse ya por sus relaciones, por su traba-jo, por su función, por su status social, por sus riquezas, por su reputación, etc. Despojada de sus atributos exteriores, la persona se ve sola consigo misma para descubrir quién es.

Mediante el soltar presa del duelo y del perdón de las ofensas se ha iniciado ya un trabajo de poda de las falsas identidades. Por lo mismo, la persona se encuentra más en contacto con su verdadero Yo, su identidad profunda porta-dora de su misión.

Karl Jung veía en el «llegar a ser Sí-mismo la finalidad de todo proceso psicológico. Para él, el conocimiento de sí mismo pasaba por el diálogo del yo consciente con el yo inconsciente, con su centro espiritual. El Yo se deja captar, no ya directamente, sino por sus manifestaciones conscien-tes: sueños, ilusiones, proyectos, imágenes mentales, intuiciones, etc. La percepción del Yo exige, por tanto, un trabajo de reflexión sobre las pistas que él mismo proporciona; este trabajo permitirá discernir la presencia del Yo y entrever su orientación fundamental, es decir, su misión.

Vamos a presentar dos series de ejercicios orientados a discernir mejor la naturaleza del Yo. La primera sigue un camino negativo, que consiste en «des-identificar» al Yo, es decir, en negar lo que no es. La segunda, que sigue el camino simbólico, ayuda a la persona a estar atenta a las imágenes que el Yo quiere revelarle.

Primer ejercicio de «desidentificación» o de liberación de las identidades superficiales

Como hemos visto, el Yo, la identidad profunda de la persona, no se deja descubrir plenamente por el yo consciente. Una primera forma de acercarse al Yo consiste en decir lo que no es. Es el ejercicio de desidentificación.

Enumera, en un primer tiempo, las cualidades o atributos que reconoces en ti. Los colocas, luego, en categorías que te definan, empezando por los aspectos más exteriores a ti mismo hasta terminar en los más interiores. La finalidad de este ejercicio es poner orden en las percepciones que tienes de ti mismo.

- En el centro de una hoja de papel, escribe tu nombre y rodéalo con un círculo. Durante unos diez minutos, repítete la pregunta: «¿quién soy yo». Cada vez que te hagas la pregunta, responde con una o dos palabras.

  Evita censurar tus respuestas; deja que broten espontáneamente y escríbelas inmediatamente alrededor de tu nombre. Si una respuesta tarda en llegar, escribe «bloqueado» y hazte otra vez la pregunta. Aunque puedes hacer solo este ejercicio, es preferible que lo vivas con una persona que te vaya preguntando: «¿quién eres tú?».

Ejemplo:

- Terminado este paso, coloca las palabras que has escogido dentro de una u otra de las siguientes categorías:

Primera categoría

Se refiere al trabajo, a la función, al status social. En mi ejercicio, yo pondría en esta categoría las siguientes palabras: canadiense, profesor, escritor, animador, hijo de Enrique.

Segunda categoría

Agrupa indistintamente los rasgos de carácter positivo y negativo. Ejemplos: tímido, fiel, sensible, susceptible, afectuoso, amistoso.

Tercera categoría

Incluye los ideales espirituales que se suelen denominar «arquetipos». No representan sólo un mero trabajo o una función social, sino los ideales que uno lleva en el corazón. Ejemplos: sacerdote, acompañante espiritual, terapeuta, colaborador.

Cuarta categoría

Se refiere a la identidad propia de la persona. Son pocas las palabras que entran en esta categoría. En mi caso, no he encontrado más que tres: Juan, yo, un hombre. Por lo demás, me apresuro a hacer notar que la palabra *hombre*, si la entiendo en el sentido de varón, no hace justicia exacta a lo que soy, ya que no tiene en cuenta el aspecto femenino de mi ser.

- Terminada esta distribución, retoma cada uno de los calificativos atribuyéndolos a ti mismo. Para las tres primeras categorías, emplea el verbo *tener*. Y reserva el verbo *ser* para la cuarta categoría.

Ejemplos:

1) Tengo la ciudadanía canadiense, tengo una carrera de profesor, tengo un papel de animador, tengo un vínculo filial con Enrique mi padre, etc.

2) Tengo amistad, tengo fidelidad, tengo susceptibilidad, etc.

3) Tengo vocación sacerdotal, tengo una misión de acompañante espiritual, etc.

4) Soy yo; soy un hombre (en el sentido de un ser humano); soy Juan.

Pregúntate, a continuación, por lo que has sentido al sustituir el verbo *tener* por el verbo *ser*. Es muy frecuente que las personas que viven este ejercicio se sientan más libres y descargadas; comprueban que ya no se dejan identificar con unos atributos que no describen lo que ellos son de verdad. Han aprendido así a practicar la «desidentificación», es decir, a liberarse de sus identidades superficiales.

El empleo del verbo *ser* debe reservarse estrictamente a la descripción de la identidad propia. Este verbo se utiliza impropiamente con demasiada frecuencia. Y de ahí se derivan identidades que se atribuyen falsamente tanto a uno mismo como a los demás. Así, se dirá equivocadamente: «soy un alcohólico», «soy un mentiroso», «tú eres un paranoico». Sería más exacto y más liberador decir: «Tengo tendencia a abusar del alcohol»; «a veces tengo mentiras en mi haber»; «tienes actitudes paranoicas»...

Segundo ejercicio de «desidentificación»

Este segundo ejercicio de *desidentificación* permite «intuir» la identidad real propia. La psicosíntesis lo considera como un ejercicio capital. Su finalidad es despojar a la persona de todo lo que no es esencial a su Yo, a su identidad propia. Equivale, por tanto, a un «soltar presa» de las falsas identidades con las que uno se ha disfrazado, creyendo equivocadamente que eran parte integrante de su ser.

Si estás solo para vivir este ejercicio, sería útil registrar el texto que viene a continuación en una cassette. Escuchándolo no tendrás que estar atado a leerlo mientras haces el ejercicio y podrás concentrarte más y mejor. Te toca a ti personalizarlo a tu gusto.

Instálate confortablemente. Date tiempo para entrar poco a poco en tu interior. Cierra los ojos. Deja que se liberen las tensiones de tu cuerpo.

Manténte en contacto con tu respiración, inspiraciones y expiraciones; así entrarás más profundamente en el interior de ti mismo.

No tienes que hacer esfuerzos ni intentar comprender; déjate simplemente llevar al hilo de las palabras.

Tengo un cuerpo, pero yo no soy mi cuerpo.

Millares de células de mi cuerpo mueren todos los días, mientras que muchas otras renacen. Mi cuerpo cambia y envejece, pero yo permanezco estable. Mi cuerpo evoluciona sin cesar, pero yo soy siempre el mismo.

Soy consciente de que tengo múltiples sensaciones, pero yo no soy mis sensaciones; éstas cambian continuamente, pero yo sigo siendo quien soy.

Tengo dolores, pero yo no soy mis dolores.

Los dolores evolucionan, van y vienen, pero yo permanezco el mismo.

Tengo emociones, pero yo no soy mis emociones.

Tengo frustraciones, pero yo no soy mis frustraciones.

Tengo temores, pero yo no soy mis temores.

Tengo preocupaciones, pero yo no soy mis preocupaciones.

Mis emociones, mis frustraciones, mis temores, mis preocupaciones van y vienen sin cesar, pero yo permanezco inmutable.

Tengo en la cabeza imágenes, imaginaciones, pero yo no soy ni esas imágenes ni esas imaginaciones. Esas imágenes y esas imaginaciones aparecen y desaparecen, cambian, pero yo permanezco incambiado.

Tengo ideas, pero yo no soy mis ideas.

Estas ideas evolucionan sin cesar, pero yo sigo siendo idéntico a mí mismo.

Tengo deseos y esperanzas, pero yo no soy ni mis deseos ni mis esperanzas. Éstos cambian y evolucionan, pero yo sigo siendo el mismo.

Tengo una voluntad y una inteligencia, pero yo no soy ni mi voluntad ni mi inteligencia. Estas facultades se desarrollan o se debilitan, pero yo no cambio.

Tengo un corazón y unos amores, pero yo no soy ni mi corazón ni mis amores. Mi corazón y mis amores están sujetos a fluctuaciones, pero yo no sufro ninguna fluctuación, porque permanezco el mismo.

He sufrido pérdidas en mi vida, tengo duelos que resolver, pero yo no soy ni mis pérdidas ni mis duelos. Olvidaré mis pérdidas y sanaré de mis duelos, pero a través de esos cambios, seguiré siendo el mismo yo.

Yo soy más que mi cuerpo, más que mis emociones, más que mis facultades, más que mis amores, más que mis duelos.

Yo, yo soy...

Guarda ahora silencio durante varios minutos. Experimentarás un sentimiento de paz y de tranquilidad. Será la señal de que estás presente a tu identidad real, a ti mismo, a tu Yo.

A tu propio ritmo, date tiempo para volver poco a poco a tu mundo exterior y para retomar el contacto con tu entorno.

He aquí algunas consecuencias bienhechoras de este ejercicio de desidentificación. Si tengo una jaqueca, por ejemplo, es importante que no me identifique con ella como si todo mi ser se hubiera convertido en una jaqueca. Diré entonces: «Tengo una jaqueca, pero yo no soy mi jaqueca». Hacer esta distinción favorece un dominio mayor sobre el dolor que uno tiene. Esta misma regla se aplica al terreno de las emociones. Con ocasión de una decepción, me diré: «Tengo una decepción, pero yo no soy mi decepción, porque yo soy más que mi decepción. Me «desidentifico» de ella». Evito, por tanto, creerme yo mismo o hacer creer a los demás que todo mi ser no es más que pena y tristeza. Este ejercicio permite crear en el interior de uno mismo un espacio de paz interior y de libertad frente a un mal físico o un estado psíquico afectado por la pena.

Ejercicio complementario

Se puede acompañar este ejercicio con el siguiente gesto ritual: toma en la mano una rama cubierta de hojas y, a medida que se va desarrollando el ejercicio, arranca una hoja y déjala caer por tierra. Al final, todo lo que te queda en la mano es, nada más, la rama desnuda, símbolo de tu Yo. Dedica tiempo a contemplar la rama despojada de sus hojas.

La simbolización de mi ser auténtico

El conocimiento del Yo, de la propia identidad profunda, no se hace de una forma lógica y racional. En gran parte inconsciente, se efectúa a través de los sueños que tenemos tanto despiertos como dormidos, de nuestras imaginaciones, de nuestras intuiciones espontáneas, de nuestras inspiraciones, de nuestras proyecciones, etc. Hay en todo esto otros tantos mensajes transmitidos por el Yo bajo una forma simbólica, otros tantos rayos de luz que traspasan la noche del inconsciente.

Para tener un mejor conocimiento de propio Yo, Karl Jung recomienda utilizar la *imaginación activa*, a fin de establecer un diálogo entre el consciente y el inconsciente. El primer tiempo de este proceso mental consiste en hacer que el consciente se haga atento a los mensajes simbólicos del inconsciente. En un segundo tiempo, el consciente utiliza estos símbolos para expansionarlos e interpretarlos.

He aquí un ejemplo de imaginación activa, mediante la cual el espíritu construye un diálogo de elementos simbólicos ofrecidos por el inconsciente. Una persona recuerda que ha soñado con una serpiente; se pregunta qué significa ese mensaje simbólico de su inconsciente. Entabla, entonces, un diálogo con la serpiente-símbolo y le hace hablar de sus necesidades y de sus exigencias. El soñador mismo se expresa a su vez sobre sus necesidades y le hace preguntas y demandas a la serpiente. Se establece, entonces, un trabajo de colaboración entre el soñador y el símbolo de la serpiente. La persona aprende a conocerse escuchando e interpretando el mensaje del Yo.

Te propongo ahora algunos ejercicios que se inspiran en la *imaginación activa*. Se trata de dejar que emerjan en ti imágenes simbólicas con las que entrarás en diálogo. Estas pequeñas incursiones en el interior de tu mundo imaginario te darán poco a poco acceso a tu identidad.

Primer ejercicio: volver a trazar las historias
que llenaron de encanto tu vida

Las historias y los cuentos que te encandilaron en la infancia no te sirvieron sólo de diversión. Fueron otros tantos filtros que te permitieron conocerte mejor. Te revelaron formas de ser, de comportarte y de considerar la vida. Modelaron tu percepción de lo real, contribuyeron a la interpretación de tus experiencias e influyeron tu conducta, y consiguientemente, tu orientación. Los personajes de esas historias, así como su misión, ejercieron y siguen ejerciendo todavía sobre ti una clara fascinación. Revelan diversas facetas de tu personalidad.

1. En un lugar tranquilo, entra en ti mismo. Recuerda una historia que te apasionó de manera particular en tu infancia. Resúmela en unas pocas frases (seis u ocho).

2. Siempre en un lugar tranquilo, entra en ti mismo. Recuerda una historia que te apasionó de manera especial en tu adolescencia o incluso hasta la década de tus veinte años. Resúmela en unas pocas frases (seis u ocho).

3. En un lugar tranquilo, entra en ti mismo. Recuerda una historia que te haya encantado recientemente (relato, obra de teatro, película, etc.) y que te siga fascinando. Resúmela en unas pocas frases (seis u ocho).

4. Solo o con otras dos o tres personas, repítete los resúmenes de estas tres historias. Y hazte estas preguntas:

¿Con qué personaje o héroe de la historia me he identificado yo en las diferentes épocas de mi vida? La imagen que me hacía de los héroes ¿ha evolucionado de una historia a otra?

¿Qué me revelan esas historias sobre la evolución de mis valores, de mis creencias, de mis relaciones con los demás y sobre la elección de mis modelos?

¿Qué me revelan esas historias sobre mi evolución psico-espiritual?

Segundo ejercicio: descubrir tus valores profundos

La finalidad de este ejercicio es ayudarte a descubrir las aspiraciones profundas de tu alma. Para conseguirlo, observarás a los héroes históricos o míticos por los que sientes gran admiración.

- Enumera cinco personajes (héroes, santos, pensadores, hombres y mujeres admirables, etc.) que susciten en ti una gran admiración.

- En pocas palabras expresa lo que te apasiona en cada uno de esos personajes.

- Pregúntate ahora si esa descripción se corresponde con la que tú mismo te sentirías inclinado a hacer de tus propios deseos y aspiraciones. El hecho de admirar tal o cual cualidad o virtud en un personaje es un buen índice de que tú mismo la posees ya o, al menos, de que deseas poseerla.

Lo que hayas aprendido sobre ti mismo en este ejercicio te servirá para definir tus arquetipos (de ellos hablaremos en el capítulo siguiente).

Tercer ejercicio: dar nombre a los símbolos
que describen mejor tu identidad

1. A partir de las categorías sugeridas, identifica los dos símbolos que mejor describen tu identidad.

   ¿A qué animal, planta, flor, árbol... te gustaría parecerte?

   ¿Con qué vehículo de transporte te gustaría identificarte?

   ¿Con qué paisaje te gustaría identificarte?

   ¿Con qué parte del cuerpo te gustaría identificarte?

   Otros tipos de símbolos posibles: muebles, edificios, clima, etc.

2. Describe detalladamente tus dos símbolos. Ve en qué medida coinciden esas descripciones con tu personalidad.

Una variante interesante de este mismo ejercicio se llama *sombras chinas*. Puede hacerse entre tres personas, que llamaremos A, B y C.

- A presenta a B una categoría de símbolos. Le pide, por ejemplo, que escoja una especie de árbol.

- B cita una especie de árbol, el olmo por ejemplo, y se pone a describirlo. C anota los rasgos que B atribuye a su símbolo y lee el resumen de la descripción. Por ejemplo: «Mi olmo es grande y fuerte: está aislado en medio del campo; sus ramas ofrecen hospitalidad a los pájaros; protege de la lluvia; a veces se siente solo y busca la compañía de otros árboles, etc.».

- Terminada la descripción del símbolo, C le dice a B: «Tú eres grande y fuerte; estás aislado en un campo; pero acoges a los pájaros en tu ramaje...».

- Se pide a B que exprese su reacción ante la atribución que se le hace de esas cualidades.

Sigue, luego, el ejercicio: B presenta a C una categoría de símbolos y A actúa a su vez como secretario; y así sucesivamente.

Cuarto ejercicio: identificar la cualidad o las cualidades que hacen de ti un ser original y único en el mundo

En publicidad los técnicos se esfuerzan por destacar los aspectos útiles de un producto. Lo hacen comparándolo con otros productos semejantes y poniendo mucho cuidado y empeño en subrayar su mérito exclusivo. Ejemplos: he aquí un nuevo comprimido que combate la acidez gástrica *más rápidamente* que todos los demás antiácidos. He aquí un jabón que lava más blanco que la blancura y desprende el frescor de la limpieza; el añadido que contiene de cristales azules lo convierte en un poderoso detergente...

- Si necesitas hacerte valer y ganar méritos para obtener un empleo, ¿en qué cualidades tuyas pondrías especial acento?: ¿en tu inteligencia, en tu tenacidad y perseverancia, en tu servicialidad, en tu atención a las personas, en tu buen humor, en tu delicadeza, en tu fuerza, en tu lealtad, etc.?

- Describe en tres líneas lo que hace de ti un ser único en el mundo.

* * *

Hay otros muchos ejercicios que permiten discernir mejor la identidad de uno mismo. He escogido presentar aquí los más adecuados, que se orientan a poner de relieve los rasgos *permanentes* de la personalidad. El «conócete a ti mismo», ese célebre precepto inscrito en el frontispicio del templo de Delfos, sigue siendo una baza esencial para sacar a flote el ideal de un alma.

8
Estrategias para descubrir la misión propia

Alicia se pasea por el país de las maravillas.
Asombrada, disfruta de un descubrimiento tras otro.
Pero he aquí que llega al cruce de dos caminos.
Se detiene y se pregunta cuál tendrá que tomar.
No sabe qué hacer.
De pronto, ve una liebre.
Corre a su encuentro y le dice:
«He llegado al cruce de dos caminos;
¿podrías decirme qué camino debo tomar?».
La liebre le pregunta entonces:
«¿Adónde quieres ir?».
Levantando los hombros, Alicia le responde:
«¡No lo sé!».
«Entonces, señorita, –le replica la liebre–
puedes seguir cualquier de los dos».
(Inspirado en el cuento *Alicia en el país de las maravillas*)

El progreso realizado en el conocimiento del Yo nos permite ahora afrontar esta cuestión: ¿Qué quiero hacer de mi vida?

El discernimiento de la misión propia es un trabajo que requiere reflexión, estudio, paciencia e intuición. Se trata de descubrir los signos de esta misión y de destacar los puntos de convergencia existentes entre ellos. Es una tarea muy parecida a la composición de un mosaico. Mientras que el artista va uniendo unas a otras las pequeñas piezas de cerámica, el que lo observa en su trabajo no puede imaginarse el dibujo que saldrá. Pero a medida que el artista va juntando las piezas, el observador ve cómo surge poco a poco el motivo final.

Este capítulo y el siguiente sugieren ciertas estrategias orientadas a reconocer la misión propia. Puede suceder que baste con una sola. Pero habitualmente es preferible recurrir a varias estrategias. En efecto, de la convergencia de resultados surgirá una idea más precisa de la misión.

Pero no hay que engañarse. La misión propia no se inventa, hay que dejarla que sea ella misma la que se nos revele. Las estrategias utilizadas para descubrirla no son más que medios para facilitar la reflexión y la meditación sobre las realidades interiores, como son las pasiones, las llamadas interiores, las visiones, las intuiciones, los entusiasmos, las fantasías, los sueños, los intereses, los deseos, los síntomas físicos, etc.

El descubrimiento de la misión propia no es, por tanto, fruto de una actividad puramente racional y no tiene ni su claridad ni su precisión. Nos lo recuerda Jack Kornfield[1]: hemos de «entrar en diálogo con nuestro corazón» y plantearnos las verdaderas preguntas sobre cómo utilizamos nuestro tiempo, nuestras fuerzas, nuestra creatividad y nuestros amores. Trabajo de paciencia y de interioridad, en medio de dudas, de tiranteces, de alternancias de fervor y de miedo. Las estrategias orientadas a descubrir la misión propia no logran disipar todas las incertidumbres sobre el asunto ni nos eximen de asumir riesgos.

---

1. Kornfield, J., *A Path with Heart: A Guide Through the Perils and Promises of Spiritual Life*, Bantam Books, New York 1993 (trad. cast.: *Camino con corazón*, Ed. La liebre de marzo, Barcelona 1998).

Tu historia es la matriz de tu porvenir

Tu vida en su conjunto

El pasado es anunciador del porvenir, y sus líneas directrices te ayudarán a descubrir tu misión. Recordando tu historia personal, te contarás el trabajo profundo de tu alma e irás tomando conciencia poco a poco de las llamadas interiores que con frecuencia quedan ignoradas u olvidadas. En inglés, «acordarse» se traduce por *to remember* y *re-member* significa «recolocar lo que había sido desmembrado o dispersado». Volver sobre tu historia te permite, por tanto, «recolocar» en un conjunto coherente los trozos del rompecabezas de tu vida: recuerdos dispersos, deseos insatisfechos, realizaciones y proyectos abandonados. Poco a poco empezaron a despuntar las inclinaciones de tu misión que, como ocurre con la costura de un vestido, aparece y desaparece a lo largo de tu historia.

Después de haber completado la reconstrucción de tu pasado, examinarás tus pasiones, tus tendencias, tus intereses persistentes, tus sueños realizados o abandonados. De esta forma podrás discernir mejor los impulsos y los esfuerzos de tu alma que intenta dar a luz su misión propia.

Reconstrucción de tu historia

Las directrices que vienen a continuación te permitirán proceder de forma sistemática a la reconstrucción de tu pasado. Necesitarás folios grandes y lapiceros de distintos colores.

- Pon tu nombre y tu fecha de nacimiento al pie de un folio.
- Entra en ti mismo y regresa mentalmente a la edad de tus primeros recuerdos.
- Luego, por periodos de cinco años de tu vida, resume tus recuerdos en una o dos palabras.

- Escribe espontáneamente, de abajo arriba, sin ponerte censura alguna. Escoge un color específico para cada una de las siguientes categorías:

  — *los acontecimientos personales:* educación, escuela, juegos, salud, sucesos felices o desgraciados, enfermedades, cambios de residencia, etc.

  — *los acontecimientos relacionales:* hermanos y hermanas, amigos, nacimientos, fallecimientos, amistades, rupturas de amistades, amores, penas de amores, grupos de pertenencia, etc.

  — *las realizaciones personales:* estudios, trabajo, empleos, éxitos escolares, producciones propias de todo tipo, fracasos, responsabilidades sociales, honores, etc.

- Al llegar a tu edad actual, sigue escribiendo espontáneamente lo que deseas ser y hacer.

Reflexión sobre las principales tendencias de tu vida

- Clava en una pared los folios de tu revisión de vida.

- Toma una postura confortable y observa el panorama de tu vida. Mira si no te has olvidado de algunos sucesos importantes. Si te acompaña alguna otra persona, haz con ella la revisión de tu vida aprovechándote de los comentarios de esa otra persona.

- La primera operación consiste en hacer un inventario de los sucesos y de las aspiraciones que tienden a repetirse. Examina las páginas que describen tu historia. Rodea con un círculo de un color especial los acontecimientos que te parecen más destacados y recurrentes en el desarrollo de tu vida (transiciones, cambios, promociones, duelos, decisiones, alegrías, penas, opciones de mayor importancia, etc.). Numéralos.

- En un segundo tiempo, agrupa en categorías esos hechos destacados. Puedes relacionarlos o vincularlos con uno u otro de los arquetipos que describimos a continuación.

Arquetipos

En este contexto, el arquetipo representa un tipo universal de persona que tiene una misión o una vocación particular. Significa también una forma con que la psique tiende a realizarse en sus relaciones con los demás.

Seguramente te sentirás más vinculado con uno o con otro, o con otros arquetipos que no figuran en esta lista que no es exhaustiva.

El sabio: el gurí, el hombre o la mujer de buen consejo, el maestro, el anciano o la anciana sabia. Posee un conocimiento profundo de los seres. Comunica su experiencia con respeto y consideración.

El jefe: el rey, el político, el gobernante, el jefe de empresa, el director de orquesta, etc. Le gusta dirigir y dominar; tiene el arte de guiar a las personas. Administra bien los recursos y hace realidad sus proyectos. Su cualidad principal es la eficacia.

El mentor: el acompañante, el padre (o la madre) espiritual, el educador atento. Sabe animar a las personas, mostrarles el camino a seguir para crecer. Se alegra de los éxitos de sus discípulos, a los que conduce con respeto y discreción.

El padre, madre, protector/a: el que cuida de los demás *(caregiver)*. Puede ser un padre amoroso, un auxiliar atento, un guardián, etc. Está constantemente atento a las necesidades de los demás. Vela por ellos, para procurarles confort físico, psicológico y espiritual.

El director: el profesor autoritario, el organizador. Le gustan las responsabilidades que requieren su cualidad de organizador; dicta las reglas del buen funcionamiento; enseña las verdaderas maneras de obrar; le gusta tomar en sus manos las riendas de las cosas y poner orden en las situaciones caóticas.

El sanador: el médico, el chamán, el hechicero. Se interesa por todas las enfermedades y por los diversos medios de curarlas, tanto si son de orden físico como si son de orden psicológico o espiritual. Tiene una visión holística. De ordinario, él mismo es un *sanador herido*: habiéndose sanado a sí mismo, conoce las condiciones necesarias para la sanación.

El artista: le hechiza todo lo que es bello. Es también crítico de arte o esteta. A veces, él mismo es **creador**; deseoso de producir, apela a diversas disciplinas artísticas.

El investigador: el científico, el que sabe mucho, el eterno cuestionador. Es curioso y busca saberlo todo; se aplica a descubrir el anverso y el reverso de las cosas.

El discípulo: el eterno estudiante, el partisano, el adepto, el fan. Siempre va buscando un maestro o un guru. Le devora una sed insaciable de progresar bajo la dirección de un maestro.

El mago: le gusta lo maravilloso, lo sobrenatural y lo extraordinario. Desea adquirir el conocimiento de las leyes naturales y sobrenaturales; sabe manejarlas.

El psicólogo: se interesa por los comportamientos de los seres humanos y de los animales. Busca descubrir sus motivaciones conscientes e inconscientes. Le gusta interpretar las dinámicas internas de las personas, y especialmente el mundo de los sueños.

El embajador: el negociador, el conciliador, el mediador, el intermediario. Se siente bien en su papel de mediación. Es una persona despierta, que sabe descubrir y hacer que coincidan las necesidades de las partes afectadas.

El hombre de la selva: el habitante de los bosques, el cazador, el conocedor de los secretos de la naturaleza. Siempre práctico y astuto, sabe sobrevivir en medio de una naturaleza inhóspita.

El loco: el loco del palacio real, el payaso, el bromista, el caricaturista, el humorista. Es un personaje que hace reír, pero que al hacerlo revela verdades que tendemos a guardar secretas para no disgustar a nadie.

El héroe: es generalmente una persona que se encarga de salvar a su comunidad, sin miedo a enfrentarse con graves peligros. Ingenuo muchas veces, inocente y valiente, lo hace de una forma generosa.

El guerrero: el militar, el soldado, el samurai, el policía, el defensor de derechos, etc. Siempre presto a combatir hasta la muerte por defender a su pueblo. Su audacia es proverbial. Da pruebas de una franqueza brutal, ya que no puede permitirse sufrir espejismos ante el peligro que representa el enemigo.

El amoroso: se distingue por su calor humano, su apertura y su desinterés. La prioridad de su vida es alimentar el amor o la amistad. Por otra parte, también se da el tipo degradado de ese arquetipo en el don Juan, en el play-boy, etc.

El contemplativo: el místico, el sacerdote, el monje, etc. Su vida se orienta a la contemplación de las realidades espirituales y a la unión con Dios.

El profeta: el adivino. Reconoce los signos de la realidad cuya existencia se les escapa a los demás. Interpreta los signos actuales que le permiten predecir el porvenir. Percibe entre los seres ciertas relaciones que los demás ignoran.

El celebrante: el director de teatro, el maestro de ceremonias, el liturgo, el ceremoniero, el creador de rituales, etc. Se siente realizado cuando dirige una ceremonia.

El eterno niño: el *puer aeternus* o la *puella aeterna*, que se reconoce por su inocencia aparente, por su gentileza, por su dependencia. Al *puer aeternus* le gusta hablar de espiritualidad, pero no es constante ni perseverante en sus relaciones o en un trabajo regular que exija renuncia y disciplina. De compañía agradable, aporta al principio cierta excitación y frescor en sus relaciones. Obsequioso, sabe manipular a los demás para conseguir sus propios fines.

Una vez que hayas reagrupado los hechos destacados de tu vida e identificado sus arquetipos correspondientes, tendrás una mejor idea de tu misión. Como los arquetipos son realidades sociales, describen la orientación de tus carismas.

Los sueños de la adolescencia

> *Los sueños de juventud no realizados*
> *nos acosan continuamente.*
> (H. Jackson Brown)

La adolescencia es un periodo rico en intuiciones sobre el porvenir, como ha dicho el escritor Joseph Chilton Pearce en su obra *Evolutions End*: «Los adolescentes tienen la sensación de tener una grandeza única oculta dentro de ellos». Es la edad de los héroes y heroínas. Por otra parte, tienen un miedo enorme a orientarse mal y a estropear su vida tan preciosa. A pesar de la fuerza de sus aspiraciones, se sienten con frecuencia incapaces de definir bien sus sueños de grandeza o se desaniman al no poder nunca realizarlos. Decepcionados, algunos llegan hasta el suicidio. No es raro que sus sueños de juventud se evaporen bajo el peso de las preocupaciones cotidianas. Y es una pena, ya que disimulaban un presentimiento de su misión. .

Durante mi adolescencia, estaba claro que quería cuidar de los demás. ¿Qué tipo de cuidador? No lo sabía. Al terminar el preuniversitario –tenía entonces diecinueve años–, mis compañeros y yo decidimos revelar nuestras vocaciones escribiéndolas en la pizarra de nuestra clase. Yo escribí al principio *médico*; pero después de haber dado algunos pasos para regresar a mi sitio, me volví a la pizarra y añadí: médico *de almas*. En aquel momento estaba muy lejos de sospechar que ocuparía la mayor parte de mi vida en ser, como sacerdote y psicólogo, un médico de almas, en el plano de la salud a la vez física, emocional y espiritual.

He aquí algunas preguntas que te ayudarán a recordar las intuiciones de tu adolescencia:

¿Qué tipos de persona no querías ser de ningún modo?

¿Qué formas de ocupación rechazabas?

¿Quiénes y cuáles eran tus héroes? ¿Qué personas de tu entorno (parientes, educadores, vecinos, amigos, etc.) influían más en ti?

¿Qué situaciones te hacían soñar?

¿Qué actitudes tomabas ante tus sueños? ¿Los creías realizables o irrealizables?

Tu misión en la perspectiva de tu muerte

Las personas que han pasado por la experiencia de «volver a vivir después de una cierta muerte» cuentan casi siempre que revisionaron como en un relámpago toda su vida. Es el caso de un hombre que había sido declarado clínicamente muerto, pero reanimado, narró su experiencia: una luz celestial lo invadía de una inmensa felicidad; habría deseado de todo corazón seguir inmerso en ella, pero oyó una voz que le ordenaba volver a la tierra para terminar su misión de educador de niños. Una escritora, atea militante, vivió una aventura semejante; en el más allá donde tuvo la sensación de estar, se encontró con su padre que durante su vida había sido un creyente ejemplar y le pidió que volviera a la tierra para acabar su evolución espiritual.

Te invito ahora a hacer el ejercicio que describe Stephen R. Covey[2].

Toma una postura confortable en un lugar tranquilo, silencioso y apacible.

Imagínate que entras en una salón funerario para rendir homenaje a los despojos mortales de un amigo tuyo. Al atravesar el vestíbulo, notas el olor de las flores y la música del órgano. Luego, saludas a los parientes, amigos y conocidos. Les das tu pésame.

Al acercarte al ataúd, te asombras al ver en él tu propio cuerpo. Comprendes entonces que vas a asistir a tus propios funerales y que toda aquella gente ha venido a atestiguarte su amor y el aprecio que tenía por ti. Un poco desconcertado, ocupas una silla en el salón. Y te traen un folleto que te permitirá seguir la ceremonia funeraria que va a desarrollarse. No hay error alguno: es tu nombre el que está inscrito en el título del programa, e incluso lees en él los nombres

---

2. COVEY, S. R., *The Seven Habits of Highly Effective People: Restoring the Character Ethic*, Simon and Schuster, New York 1989 (trad. cast.: *Los 7 hábitos de la gente altamente efectiva*, Paidós, Barcelona 1999[14]).

de tres personas que conoces perfectamente: un pariente muy próximo, un amigo íntimo y un compañero de trabajo. Son los encargados de hacer tu elogio fúnebre.

Prepárate para anotar el contenido de los elogios que pronuncian sobre ti.

¿Qué cualidades tuyas resalta tu pariente próximo?

Tu amigo habla de la calidad de tus relaciones humanas. ¿Qué descripción hace de ellas?

Tu compañero de trabajo recuerda tus cualidades de trabajador. ¿Qué dice de ti como compañero de trabajo?

Cuando hayas terminado de hacer tu sueño despierto, relee tus anotaciones y pregúntate qué has aprendido sobre la misión que estás llamado a realizar.

* * *

Has hecho un recorrido por la historia de tu vida. Has recordado tus sueños de adolescente. Has reconocido los arquetipos que impulsan tu vivir. Puedes confirmar las palabras de Ira Progoff: «El pasado contiene los índices de los objetivos profundos hacia los que intenta conducirte el movimiento de la vida». Incluso has tenido la valentía de considerar tu vida desde el punto de vista privilegiado del momento de tu muerte. Felicítate por el trabajo cumplido para detectar tu misión.

9
Mi pasión, mi misión

El señor Séguin nunca tuvo suerte con sus cabras.
Las perdía todas de la misma manera:
una bonita mañana rompían la cuerda,
se iban al monte
y allí se las comía el lobo.
Nada las retenía:
ni las caricias de su amo ni el miedo al lobo.
Eran, por lo visto, cabras independientes,
que deseaban a cualquier precio
espacios abiertos y libertad.
(Alphonse Daudet)

¿Qué es una pasión?

Los orientadores utilizan mucho los tests de orientación para descubrir los talentos y las aptitudes de los individuos. Aunque esos tests producen resultados interesantes, no permiten revelar plenamente la misión personal. El índice más revelador de la orientación de una persona resultar ser su pasión.

¿Cómo definir la pasión? Según el diccionario *Petit Robert*, es «una viva inclinación hacia un objetivo perseguido, al que la persona se aplica con todas sus fuerzas». Es, por tanto, más que una tendencia, un interés o una propensión. Se distingue por su fuerte intensidad emotiva. Sus efectos sobre el apasionado son numerosos: le da una sensación de vivir en plenitud, hasta sentirse desbordado de energía. Produce en él un estado de excitación sumamente intensa. Lo impulsa a concentrar todos sus esfuerzos en el objeto de su adhesión. Lo lleva a olvidar la rutina cotidiana, sus preocupaciones, sus relaciones humanas y hasta sus necesidades biológicas más elementales.

Yo experimenté un día una sensación de este tipo: iba conduciendo mi coche, absorto en la elaboración del plan de un futuro libro. Sin darme cuenta, había apretado el acelerador y volaba a lo loco, a mucha mayor velocidad que la permitida. Los poetas, bajo el dominio de sus musas inspiradoras, conocen bien esta efervescencia. Karl Jung, por su parte, hablaba de su *daimon*, una especie de genio interior que lo mantenía sujeto mientras no terminaba su obra.

El enamorado es un ejemplo típico de apasionado. A veces está tan intensamente prendido por el objeto de su pasión que se olvida de cumplir sus responsabilidades y llega incluso a perder el sentido de la orientación. Vive únicamente para el objeto de su amor. Los griegos de la antigüedad decían de los enamorados que estaban atravesados por una corriente de amor divino, como eran los dioses y las diosas, Marte y Afrodita. Por el contrario, algunos psicólogos contemporáneos se muestran poco románticos cuando asemejan la pasión amorosa a una co-dependencia o a efectos parecidos a la droga y a la embriaguez que de ella se sigue. A mi parecer, con ese enfoque desacreditan la pasión amorosa.

Joseph Campbell animaba a sus estudiantes que se sentían inquietos por su porvenir a perseguir el objetivo que les exaltara, es decir, la pasión de su vida. Les decía: *«Follow your bliss (Seguid vuestro gozo pleno)*. Si lo hacéis, os encontraréis siguiendo el camino que ha estado siempre allí, en el fondo de vuestro ser. Y la vida que estáis llamados a vivir es la que vivís en esos momentos. Sea cual sea vuestra situación, si seguís vuestra pasión, gozaréis de una renovación de vuestro ser y de una vida exaltante»[1]. En efecto, quien sigue su pasión no podrá llevar al fracaso su vida. Por el contrario, quien la rechaza se expone a hundirse en el aburrimiento. Por ejemplo, los candidatos al doctorado que, por desgracia, no escogen un tema de investigación que les apasione corren muy frecuentemente el riesgo de desanimarse muy pronto y de no llevar a cabo su proyecto.

Las metapasiones

Dentro de todo impulso pasional se ocultan estados de alma o pasiones más sutiles, que yo llamaría *metapasiones*. Corresponden a las aspiraciones del alma. Así, el que tiene la pasión por la pintura posee seguramente las metapasiones de la belleza y de la creatividad; el que tiene la pasión por el ciclismo, la metapasión de la superación de sí mismo; el apasionado por los viajes exóticos, la metapasión de conocer culturas diferentes, el apasionado por colaborar con el extranjero, la metapasión del amor incondicional. Sea cual fuere la actividad que uno aprecia, esa actividad disimula una u otra de las aspiraciones espirituales de su alma.

Pasión y patología

Me gustaría llamar la atención sobre lo que distingue pasión y patología. Las dos palabras tienen una raíz común, *pathos*, que en primer lugar quiere decir «sufrimiento». Por otra parte, el término *pasión* designa un impulso vital y sano, mientras que el término *patología* designa una enfermedad física o mental. El primero indica un impulso de cre-

---

1   CAMPBELL, J., *The Power of Myth with Bill Moyers*, Doubleday, New York 1988, p. 90 (trad. cast.: *El poder del mito*, Emecé, Barcelona 1991).

cimiento; el segundo, una desviación. Por tanto, es importante evitar confundir estas dos realidades.

He aquí algunos ejemplos de patologías que se consideran equivocadamente como casos de pasión. Algunos pedófilos escogen trabajar en la educación de los niños para satisfacer su inclinación desordenada; algunas personas que han conocido la pobreza en su infancia desarrollan una necesidad enfermiza de ganar dinero; algunos afectados de paranoia buscan puestos de dirección con la única finalidad de dominar a los demás. Esas personas siguen su patología, no su pasión. Una elección de vida motivada por un deseo de calmar desajustes neuróticos conduce necesariamente a un callejón sin salida.

Por el contrario, sucede en ocasiones que una tendencia turbia oculta una aspiración espiritual que, por diversos motivos, se ha visto desviada. Ciertas patologías son una desviación de una tendencia espiritual. Pienso aquí en el personaje de la película *Morir en Venecia*, un hombre de edad madura que se enamora de un adolescente. Aun sin conocerlo, se enamora de aquel joven que simboliza para él la belleza, la juventud y un cierto hermafroditismo. Lo que realmente le atrae es la irradiación de su propia alma que él proyecta en aquel muchacho: una belleza asexuada, una eterna juventud y un aire angelical.

Discernir tu misión examinando tu pasión

Hacia el descubrimiento de lo que te apasiona

Te invito ahora a preguntarte por lo que constituye tu pasión. Tus respuestas serán otras tantas indicaciones de lo que podría ser tu misión.

¿Qué te hace vivir de verdad, y no solamente «ir tirando»?

¿Qué pasatiempo (hobby) te apasiona?

¿A qué sección de libros diriges tu atención cuando entras en una librería?

¿Qué emisiones de radio o de televisión te cautivan?

¿Qué temas de conversación te interesan más?

La finalidad de la siguiente estrategia es llevarte a descubrir tu misión examinando lo que te apasiona en la vida. Éstas son las etapas.

1. *Inventario de las actividades que más te han llenado en la vida*

- Identifica tres experiencias en las que te hayas sentido plenamente realizado, entusiasmado o feliz.
- Descríbelas como si las estuvieras viviendo ahora mismo, utilizando verbos en presente.
- Relee las descripciones que has hecho. Subraya las palabras que creas importantes, en particular los verbos. Siéntete libre para añadir precisiones o detalles ilustrativos.
- Destaca los elementos comunes a las tres experiencias: palabras, sentimientos, acciones, contextos, etc. Extrae las tendencias principales y los motivos que se repiten. Esos son los elementos importantes de tu misión.
- Haz una síntesis de tus descubrimientos. Con ayuda de las palabras clave y de las expresiones importantes, haz una frase que se convertirá en un primer esbozo del enunciado de tu misión.

2. *Primer esbozo del enunciado de tu misión*

_____

_____

_____

_____

Relee ahora el enunciado de tu misión. ¿Describe con acierto la orientación profunda de tu alma? Añade las precisiones que crees necesarias para que sea todavía más claro y preciso.

¿Es sucinto tu enunciado? ¿Tiene una sola perspectiva o dos?

¿Contiene verbos de acción?

¿Está escrito en términos positivos?

3. *Verificación de la autenticidad del enunciado de tu misión*

Esta parte de la estrategia consiste en descubrir en ti las cualidades que justifican o confirman tu enunciado. Identifica cuatro o cinco de ellas.

Ejemplo: si mi misión es escuchar a los demás, debería poseer paciencia, capacidad empática para con los demás, aceptación incondicional, franqueza, etc.

Después de escribir estas cualidades en la columna de la izquierda, describe en la columna de la derecha un suceso real que te lleve a pensar que posees cada una de esas cualidades.

Cualidad de tu misión	*Pruebas* (sucesos que indican que posees claramente esas cualidades)
1)_____	_____
2)_____	_____
3)_____	_____
4)_____	_____
5)_____	_____

4. *Contra-verificación de la exactitud del enunciado de tu misión*

Para cada una de las cualidades, busca un suceso en que tendrías que haberla puesto en práctica, pero no lo hiciste. Ejemplo: «Cualidad: empatía – Me hubiera gustado entregarme a escuchar a un vecino que lo estaba pasando mal, pero no pude hacerlo porque estaba desbordado de trabajo».

Para cada suceso, hazte estas preguntas:

¿Qué sentimientos experimenté?

¿Qué sentí cuando no obré según esa cualidad importante para el cumplimiento de mi misión?

El hecho de no haber puesto en práctica esa cualidad cuando era importante hacerlo, refuerza la idea de que es una cualidad importante que forma parte de tu misión. Si has experimentado un sentimiento de malestar o de frustración, eso confirma la importancia de esa cualidad para tu misión.

PRIMERA CUALIDAD

Suceso en el que la puesta en práctica de esa cualidad hubiera sido importante	Reacción experimentada como consecuencia de esa omisión

SEGUNDA CUALIDAD

Suceso en el que la puesta en práctica de esa cualidad hubiera sido importante	Reacción experimentada como consecuencia de esa omisión

TERCERA CUALIDAD

Suceso en el que la puesta en práctica de esa cualidad hubiera sido importante

Reacción experimentada como consecuencia de esa omisión

_____

_____

_____

_____

_____

_____

CUARTA CUALIDAD

Suceso en el que la puesta en práctica de esa cualidad hubiera sido importante

Reacción experimentada como consecuencia de esa omisión

_____

_____

_____

_____

_____

_____

QUINTA CUALIDAD

Suceso en el que la puesta en práctica de esa cualidad hubiera sido importante

Reacción experimentada como consecuencia de esa omisión

_____

_____

_____

_____

_____

_____

5. Segundo enunciado de misión provisional
y cualidades necesarias para realizarla

Vuelve a escribir el enunciado de tu misión y las cualidades que lo componen:

_____

_____

_____

Procede ahora a una contra-verificación más global de la autenticidad de tu enunciado. Para ello pregúntate: «¿Qué ocurriría en mi vida si no cumpliese mi enunciado de la misión?

Imagínate durante unos instantes una situación en la que no realizaras la misión tal como está descrita en tu enunciado. ¿Identificas tus reacciones y los sentimientos que brotan en ti?

¿Que ocurre realmente en ti? ¿Te da miedo esta contra-verificación?

6. Tercer enunciado provisional de tu misión situada en su contexto

¿En qué contexto(s) concreto piensas ejercer tu misión?

Ejemplos: en el campo de la educación, de la familia, de los medios de comunicación social, de la salud, de los ancianos, de la pobreza, de la inmigración, de los alcohólicos y drogadictos, de los adolescentes, de la comunidad eclesial, de la espiritualidad, de los cuidados paliativos, del analfabetismo, de la sexualidad, de las bellas artes, de los deportes, etc.

Indica ahora el contexto que eliges y añádelo a tu segundo enunciado de misión:

---

7. Condiciones para que tu enunciado sea más auténtico

Seguramente te gustará mejorar el último enunciado de tu misión. Para ello, lee las condiciones que harán que tu enunciado sea más verdadero, concreto y eficaz:

- Cuando lees en voz alta el enunciado de tu misión, lo normal será que te entusiasme, te inspire y te atraiga. Si no despierta en ti entusiasmo o no apela a tus talentos, a tus calidades, ¿cómo podrías modificarlo para hacerlo más apasionante?

- El enunciado de tu misión tiene que poder abrazar de forma condensada el conjunto de actividades de tu vida. Examinemos, por ejemplo, el enunciado que hace Jesucristo de su misión: «Yo he venido para que tengan vida y la tengan en abundancia». (Jn 10,10). Este enunciado le servirá de motivación constante en todos los sectores de su vida. Sería difícil descubrir un solo momento en que no se refiriera a él.

- Tu enunciado tiene que sobreentender que has asumido la responsabilidad de tu misión y que puedes controlarla. ¿Qué piensas de una misión etiquetada de este modo: «Lo único que quiero es conseguir la felicidad de mis hijos». La realización de esa misión es imposible. En efecto, no se puede conseguir la felicidad de los demás. Una formulación adecuada podría parecerse a ésta: «Mi misión es crear, favorecer y sostener un ambiente familiar y educativo sereno, propicio a la realización personal y abierto a los cambios, de manera que favorezca el crecimiento de mis hijos».

- Para ser de recibo, el enunciado de la misión debe poder armonizarse con el de tu patrono profesional o con el de la institución a la que perteneces. Así, por ejemplo, la misión de un sacerdote podría formularse así: «Mi misión es ser testigo del amor de Dios con mi conducta, mi oración, mi palabra y mis celebraciones litúrgicas». Semejante misión se inserta fácilmente en la gran misión de la Iglesia, la de trabajar por la gloria de Dios y la salvación de la humanidad.

En algunos casos, puede resultar imposible conciliar nuestra misión con la de quien nos da el trabajo. Pienso en un enfermero que se negaba a seguir las indicaciones de los médicos, sus superiores, en el tratamientos de obsesos sexuales. Les reprochaba que seguían un tratamiento ineficaz, humillante e irrespetuoso con sus pacientes. En vez de traicionar su misión de enfermero tal como él la concebía, prefirió dimitir y lanzar su propia empresa de consulta, aun a costa de sus ingresos económicos y de sus ventajas sociales.

- Hay que señalar, sin embargo, que el enunciado de la misión personal no está grabado en piedra. A medida que vamos realizando nuestra misión, tenemos que modificar algo su etiqueta. Se irá haciendo cada vez más preciso y tendrá que tomar en cuenta la envergadura que vaya tomando nuestra misión en el futuro. Cumplir una misión es algo así como trazar un sendero en un lugar salvaje; no hay más opción que la de ir haciéndolo a medida que se avanza.

8. Ejemplos de enunciados de misión

— Mi misión consiste en ayudar a las personas a encontrar una razón de vivir, en animarles a proseguir su búsqueda y en sostenerlos en sus esfuerzos, mediante la creación de círculos de reflexión.

— Me gustaría trabajar en mi propio crecimiento físico, emotivo y espiritual, para ayudar mejor a los demás a gozar de una vida más rica y desarrollada.

— Mi misión consiste en explorar y poner a punto nuevos métodos de educación que permitan una enseñanza más eficaz y enriquecedora.

— Mi misión es crear espacios en los que las personas aprendan a expresar sus talentos artísticos.

— Arraigado en la convicción de que la paz es siempre posible, mi misión consiste en ayudar a las personas a solucionar sus conflictos, a perdonarse mutuamente y a aprender a vivir en armonía.

— Mi misión es descubrir y poner a punto nuevas estrategias psicológicas y espirituales que contribuyan a la realización personal de las gentes del ámbito universitario.

— Me gustaría ser un agente de cambio en la Iglesia y en la sociedad, escribiendo y hablando en público.

— Creo que mi vocación es llegar a ser comunicador y servir de intermediario entre diversas culturas, a fin de favorecer el conocimiento, el respeto y el diálogo entre personas de diversos medios culturales.

— Yo descubro mi misión en el acompañamiento espiritual de las personas, pero de forma que eso les lleve a descubrir su propia espiritualidad y les ayude a vivir.

* * *

Para terminar, he aquí una anécdota que me contó el capellán de una institución de cuidados prolongados. Una mujer discapacitada, inmovilizada en una silla de ruedas, le confió cómo había descubierto ella su misión. Encolerizada contra la vida, sentía que su existencia era inútil. Después de celebrar la unción de los enfermos junto al lecho de su madre moribunda, abandonó todos los rencores que había ido acumulando contra su madre y le dio su perdón. Liberada de su resentimiento, se sintió llamada a consolar a las personas atribuladas de su entorno. Compartió con el capellán el descubrimiento de su misión: hacer sonreír a las personas tristes. Cuando se encontraba con una persona atribulada o enfurruñada, siempre se las arreglaba para hacerle una broma o contarle un chiste que le alegrase. Y me dijo el capellán que nunca había dejado de hacerlo y que lo sabía hacer muy bien.

10
Las llamadas del universo

En mi conciencia, muy lejos de la superficie,
empezaba a abrirse camino
otra concepción de la libertad.
Era la libertad de seguir mi proyecto de vida
con todos los empeños que pudiera poner en juego.
Simultáneamente,
yo dejaba a las fuerzas creadoras de la vida
que me invadieran sin ningún control por mi parte,
sin hacer esfuerzos para que «la cosa marchara».
Como me lo enseñaría el correr de los años,
es ésta una manera de funcionar mucho más poderosa
que empeñarse en controlarlo todo.
(Joseph Jaworski)

A propósito de todo acto de iniciativa y de creación,
es preciso saber una verdad elemental:
que en el momento en que uno
se compromete con convicción,
la Providencia se pone de su parte.
(Johann Wolfang Goethe)

Hasta ahora hemos insistido en la búsqueda y en el descubrimiento de la misión propia situándonos en la perspectiva de la persona que intenta descubrir su misión. Nos toca ahora considerar la misión teniendo en cuenta la participación del Universo.

En efecto, existe una correspondencia misteriosa entre las aspiraciones del alma y las llamadas del universo. Algunos han descubierto su misión siendo testigos de una situación de carencia: pobreza extrema, educación deficiente, callejón sin salida en las relaciones, necesidad flagrante de afecto, situación de crisis, etc. Conmovidos y desconcertados al principio, se pusieron luego a remediar esas carencias. A otros, se les impuso su misión cuando tomaron conciencia de las posibilidades que se les ofrecían: una invitación inesperada a superarse, un ascenso que no esperaban, la idea de un invento que resultaba útil, la ocasión de realizar un buen negocio, una conversación imprevista que les abrió nuevos horizontes. la oferta de un empleo seductor, etc.

Desarrollaremos aquí tres reflexiones sobre las llamadas del universo: nos interesaremos primero por las imágenes optimistas y pesimistas que tenemos del mundo; en segundo lugar, nos preguntaremos en qué medida somos conscientes del fenómeno de la sincronicidad; finalmente, nos interrogaremos sobre la pertinencia de los mensajes proféticos de nuestros prójimos sobre nuestra misión.

Mirada sobre el universo: ¿optimista o pesimista?

La metáfora es quizás el recurso más eficaz del hombre.
Su virtualidad tiene algo de magia:
es un procedimiento de creación
que Dios parece haber olvidado en la criatura,
cuando la hizo.
(José Ortega y Gasset)

Nuestra visión del universo tiene efectos favorables o desfavorables sobre el descubrimiento de nuestra misión. ¿Cómo explicar que algunos vean y capten todas las oportunidades de éxito que les ofrece la vida mientras que otros no perciban ninguna? La realidad es rica en posibilidades; abunda en ocasiones de realizar cosas y de realizarse uno mismo sin más. El problema no está tanto en si la vida ofrece o no la oportunidad de tener éxito y realizarse, sino en saber si uno está dispuesto a responder a sus invitaciones. Es cada vez más evidente que la conducta de una persona depende de la concepción que se haga del mundo. Si lo ve como una realidad amiga y llena de recursos, no temerá actuar con audacia. Si, por el contrario, lo ve como algo hostil y amenazador, tenderá a evitar asumir riesgos y a retirarse.

El papel importante de las metáforas en el filtrado que hacemos de las percepciones

Los lingüistas subrayan la importancia de las metáforas en la representación de lo real. Lejos de ser simples figuras de estilo, condicionan nuestra percepción y nuestra interpretación del mundo, influyendo así en nuestro comportamiento. Un examen atento de las metáforas que utiliza una persona revela si percibe el universo como amigo o como enemigo. Por ejemplo, la metáfora «la vida es un jardín que cultivar» sugiere una actitud optimista y entusiasta ante la vida. Al contrario, «la vida es un terreno sembrado de trampas» suscita la desconfianza y paraliza toda iniciativa arriesgada.

He aquí otros ejemplos de reacciones emotivas suscitadas por dos series de metáforas opuestas. Afirmar: «la vida es un juego», «basta con danzar al ritmo de la realidad», «el mundo es un ramillete de flores variadas», «todas las personas son colaboradores en potencia», «el mundo rezuma recursos que sólo piden que los explotemos», «el éxito comienza por un sueño»; todo estas afirmaciones suscitarán en la persona un nuevo impulso de entusiasmo, las ganas de atreverse, el deseo de aprovechar las ocasiones que se vayan presentando. Al contrario, si uno dice: «el mundo es un mar agitado», «el universo es un terreno pantanoso», «los hombres son como lobos», «el mundo es un volcán siempre dispuesto a explotar», «he nacido para llevar la vida a rastras», «la vida es un tren que pasa demasiado aprisa para poder subirse a él», no tendrá más remedio que sentir malestar, miedo a la aventura y necesidad de protegerse.

Las metáforas que se emplean para describir la vida, el mundo, el universo, son otros tantos filtros que colorean la realidad para lo mejor y para lo peor. La aumentan o la recortan; son portadoras de oportunidades o de peligros; suscitan la audacia o el miedo.

La transformación de las metáforas

¿Te sorprendes utilizando metáforas restrictivas y constrictivas? Tu situación no es desesperada. Siempre tienes la posibilidad de modificar las metáforas en provecho propio; no son inmutables. Son el resultado de experiencias penosas que tendemos a generalizar y que hemos convertido en absolutos. Así, como consecuencia de fracasos repetidos en sus estudios, uno de mis clientes afirmaba convencido: «Estudiar es una montaña infranqueable, una roca contra la que estoy condenado a romperme la cabeza». Le hice comprender, en primer lugar, que esas metáforas no expresaban toda su experiencia, que los estudios también podían compararse con «una montaña que reserva gozosas sorpresas en su escalada», y que todo aprendizaje es «una de las aventuras o desafíos más interesantes». Le hice subir mentalmente la montaña y él me fue describiendo, paso a paso, su escalada y los muchos y gozosos descubrimientos que iba haciendo. Poco después, me confiaba que los estudios le resultaban más fáciles y que, por primera vez, había leído un libro entero.

Recientemente, sugerí a una de mis alumnas que transformase sus metáforas. Se quejaba ella de llevar una vida «sobrecargada y agobiada de ocupaciones», que la «hacían sucumbir bajo su peso». Como yo sabía que le gustaba bailar, le aconsejé que se imaginase la vida como una danza. Escéptica al principio, consintió más tarde en entrar en el juego. Se preguntó qué forma de danza representaría mejor su vida trepidante. Pensó espontáneamente en el *rock-and-roll*. A partir de este descubrimiento, cambió su actitud: ahora cumple sus numerosas tareas al ritmo arrebatador del *rock-and-roll*.

Cómo transformar tus metáforas en imágenes positivas

He aquí una estrategia orientada a dejar de lado tus percepciones debilitadoras de la vida y a crear en su lugar otras más expansivas. Te permitirá percibir tu misión de una forma optimista y aprovechar todas las oportunidades que se te ofrecen para cumplirla.

• Haz el inventario de las metáforas que utilizas para hablar sobre la vida y el mundo. Escribe tres o cuatro de ellas en una cuartilla.

Revisa cada una de ellas planteándote estas preguntas: «¿Qué significa para mí esta metáfora? ¿Qué reacciones emotivas provoca en mi ánimo?».

Ejemplo: si has afirmado que «la vida es una lucha» o que «la vida es sagrada»», pregúntate qué efecto produce esta convicción sobre tus relaciones con los demás y sobre tu actitud general ante la vida.

• Transforma tus metáforas pesimistas.

¿Estás satisfecho con la aportación que hacen tus metáforas a tu vida? ¿Crees que son expansivas y positivas para ti? Si no, mira cómo podrías modificarlas para darles un contenido más positivo: empieza por relativizar tu creencia. Por ejemplo, si te representas la vida como «una guerra o como un valle de lágrimas», reconoce que, aunque es verdad que a veces acarrea enfrentamientos y decepciones, la vida es también «un juego interesante», «una continua negociación»; que, aunque a veces lleva consigo momentos penosos, en su conjunto es «una gracia», «un regalo» o «una danza».

- Reemplaza las metáforas que sirven para describir tu misión.

A muchos les gustará describir su misión con la ayuda de metáforas. Si es tu caso, responde a las siguientes preguntas con ayuda de metáforas:

¿Cuál sería tu concepción de un mundo perfecto? ¿Cuál sería en él tu ideal? Deja que surjan en ti imágenes que correspondan a tus aspiraciones y a tus valores. Aunque la imagen que te hagas al principio te parezca exagerada o poco realista, no dudes en conservarla. Te estimulará y te reconfortará en el cumplimiento de tu misión.

Para ayudarte a formular tus propias metáforas, he aquí algunas a título de ilustración:

— El mundo es un gran laboratorio en el que me permito realizar mis experiencias.
— La vida es una danza, a veces lenta, a veces rápida.
— El mundo es un extenso campo fértil que explotar.
— La vida es un juego en el que todo el mundo gana.
— El mundo es sagrado.
— El universo es una sinfonía misteriosa.

- Transcribe las metáforas que acabas de crear en fichas que puedas tener bien a la vista hasta que arraiguen sólidamente en ti. Si las miras y lees cada día, se transformará tu manera de ver, de entender y de experimentar la realidad.

La sincronicidad o la atención
a las invitaciones fortuitas del universo

Existe una concordancia misteriosa entre los movimientos del alma y las llamadas del universo. Karl Jung fue el primero en utilizar el término *sincronicidad* para designar este fenómeno. Lo define como una correlación entre los acontecimientos interiores y exteriores a la persona. Es posible constatar esta correspondencia, pero resulta difícil explicarla. Las leyes de la sincronicidad no dependen ni del azar ni de una explicación lineal del tipo causa-efecto. Se mantienen misteriosas, pero no por ello menos reales. Visto el fenómeno en su conjunto, parecen ser el fruto de una orquestación establecida por una Inteligencia superior que algunos llaman Providencia.

Un día, el psicoanalista suizo se disponía a interpretar el sueño de un cliente que le contaba haber soñado con un escarabajo; en aquel mismo momento vino a aplastarse contra los cristales de la ventana de su despacho uno de esos insectos. Jung tomó el insecto en su mano y se lo presentó a su cliente: «¡Aquí está su escarabajo!». A su juicio, se había establecido una especie de afinidad entre el sueño de su cliente y el universo.

Algunos incidentes en apariencia insignificantes apuntan a veces en la dirección de nuestra misión. Gregg Levoy, a quien ya hemos citado, dice que se sintió muy intrigado al encontrar, en varias ocasiones y en un corto lapso de tiempo, varios naipes, todos ellos de damas de corazones. Sólo más tarde comprendió que tenía que evitar en su forma de escribir una actitud demasiado masculina y racional. Para alimentar su inspiración de escritor, necesitaba estar más en contacto con su «anima» –su lado femenino–, particularmente poniéndose a la escucha de su sensibilidad y de su emotividad. Este era el mensaje que las damas de corazones le habían querido transmitir.

Unos estudiantes me contaron que un día se preguntaron si debían o no hacer huelga para cambiar algunas condiciones injustas en que se encontraban. En aquel mismo instante oyeron por la radio un canto revolucionario y decidieron, entonces, emprender la huelga.

Seguramente también tú has tenido experiencias semejantes, al dilucidar tus proyectos, sentimientos, deseos u orientación. La realidad nos brinda con frecuencia signos de la misión que nos espera, pero desgraciadamente no siempre somos capaces de reconocerlos. No siempre estamos dispuestos a sintonizar con la buena frecuencia. En el momento en que te preguntes por tu misión, mantente más atentos a los incidentes o sucesos que impiden o perturban el curso normal de tu vida: una enfermedad, una visita inesperada, un incidente curioso, una conversación extraña, un error repetido, un sueño recurrente, la aparición de objetos insólitos o de animales raros, etc.

La dificultad vinculada a la sincronicidad reside en la interpretación adecuada del sentido de los incidentes o de los acontecimientos en curso. Hay que evitar explicarlos de manera demasiado literal o trastornarse por el más mínimo suceso un poco extraño. De todas formas, si ese incidente es portador de un mensaje importante para nuestra misión, se reproducirá y se hará más insistente.

Los mensajes de tu entorno

Como ya hemos visto, las proyecciones que hacen las personas que juegan un papel importante en nuestra vida pueden resultar demasiado pesadas de llevar. Algunos padres desean que su hijo realice la misión que ellos mismos vislumbraron, pero que no lograron realizar en su vida; en esas condiciones, más de un hijo se ha visto obligado a seguir un camino que no era el suyo. Otros han sufrido la influencia de «profetas de desventuras», que les desanimaron a perseverar en la búsqueda y seguimiento de su misión. Me acuerdo de aquel profesor de francés, que jugaba a profeta y que me predijo: «¡Nunca sabrás escribir!». ¿Qué pensar de aquel editor que, después de haber leído mi manuscrito *Aimer, perdre et grandir*, me aconsejó con un tono paternalista: «Deberías renunciar a tu proyecto de escribir; la corrección de tu manuscrito exigiría demasiado trabajo». Sin embargo, la tirada de esa obra alcanza hoy la cifra elocuente de ciento sesenta y cinco mil ejemplares.

Por el contrario, ¡dichoso quien tenga la suerte de encontrarse con un «profeta de venturas», que sepa reconocer en él los signos de su misión! Jesucristo gozaba de este carisma. Muchas veces indicaba a una persona cuál era su misión, ya en su primer encuentro con ella. Es lo que pasó con Pedro: «¡Te haré pescador de hombres!».

James Hillman ha titulado uno de los capítulos de su libro[1]: «Esse est percipi: To Be is to be Perceived» («Ser es ser percibido»). Pone el ejemplo de varios personajes que se convirtieron en lo que algunos «profetas» habían percibido en ellos. Así, Franklin Roosevelt vio en Lindon Johnson un futuro presidente de los Estados Unidos. Georges Washington nombró primer ayudante de campo suyo, sin conocerlo, a un joven soldado sin experiencia llamado Alexander Hamilton. El profesor William James creyó en la capacidad de una joven judía algo neurótica, llamada Edith Stein; seguro de su intuición, le dio el pase en un examen que en realidad había suspendido; siguió luego apoyándola y llegó a recomendarla a la Universidad John Hopkins para que hiciera estudios de medicina. Edith Stein llegó a ser una gran filósofa y mártir de su fe; recientemente ha sido beatificada. Por citar un caso de actualidad, pensemos en René Angelil, que descubrió en una adolescente de trece años a

---

1 HILLMAN, J., *The Soul's Code: In Search of Character and Calling*, Warner Books, New York 1997 (trad. cast.: *El código del alma*, Martínez Roca, Barcelona 1998).

la mayor cantante pop de los tiempos modernos, Céline Dion.

Encontramos este tipo de intuición en algunos educadores, profesores, mentores, entrenadores deportivos, «buscadores de cerebros» en el deporte o en las artes. Vislumbran un brillante porvenir para personas en las que los demás no ven más que talentos normales e incluso deficientes.

He aquí ahora algunas preguntas que te podrán servir para alimentar tu reflexión sobre tu misión:

¿Te has encontrado ya con alguno de esos «profetas de venturas»?

¿Qué te han revelado sobre tu proyecto de vida?

¿Cómo has reaccionado ante su profecía sobre ti?

¿Crees que su opinión ha venido a confirmar tus propias intuiciones sobre tu misión?

Cuarta parte

Partir de nuevo

11
Imaginar detalladamente la realidad de la misión propia

El animador de un grupo pidió a los participantes
que fueran al campo
a recoger tréboles de cuatro hojas.
Después de varias horas de intensa búsqueda,
nadie pudo encontrar ni uno solo,
excepto una joven,
que volvió con un manojo de tréboles de buena suerte,
que distribuyó entre los demás miembros del grupo.
Le preguntaron entonces qué truco había usado
para poder encontrar tantos.
Respondió: «Es muy sencillo:
yo me imaginaba un trébol de cuatro hojas;
y entonces lo único que tenía que hacer
era localizarlo y cogerlo».

Según William Bridges, tras las etapas del «soltar presa» y del «compás de espera» o etapa de «margen», hacemos una nueva entrada en la comunidad para «afirmar» en ella nuestra misión. La particularidad de esta etapa consiste en comprometernos en un viraje definitivo.

Si esta nueva etapa constituye un paso definitivo hacia adelante, no estamos solos para vivirla. A este propósito, H. H. Murray afirma: «En el mismo momento en que nos comprometemos plenamente en nuestra misión, la misma Providencia se compromete también junto a nosotros [...].

Sobrevienen todo tipo de sucesos imprevisibles e insospechados, es decir, incidentes, encuentros fortuitos, ayudas de orden material o muy diversas cosas que concurren a la realización de nuestra misión, tras haber tomado una decisión firme». Así, en el momento de realizar nuestra misión adquiere toda su actualidad el proverbio «Ayúdate y el Cielo te ayudará».

Pero no me gustaría dejar al lector con la ilusión de que en adelante todo resultará fácil. Por eso, es importante examinar las resistencias propias de esta etapa y con las que tendrá que habérselas. Veremos a continuación cómo describir detalladamente la misión propia y cómo «afirmar» su notificación o reseña virtual.

Resistencias al compromiso

Logramos un progreso considerable en el descubrimiento de la misión propia cuando conseguimos enunciarla claramente. Sin embargo, a medida que vamos avanzando, en no pocas ocasiones se presentan objeciones al espíritu. Se irán haciendo cada vez más insidiosas y persistentes a medida que nos acercamos al objetivo. En el momento de pasar a la acción, las resistencias se hacen más incisivas. Es la señal de que estamos a punto de descubrir el precioso filón de oro.

Negativa a comprometernos en nuestra misión
antes de tener la certeza de que es la acertada

Una primera resistencia consiste en creer que es preciso estar totalmente seguros de nuestra misión antes de lanzarnos a ella. Hay quienes no se atreven a aventurarse a menos de estar seguros de que ésa es exactamente su misión. Se someten a todos los tests psicológicos posibles e imaginables; exploran todas las estrategias que se les proponen; sopesan todas las posibilidades de éxito o de fracaso; analizan sus talentos y aptitudes desde todos los puntos de vista. Pero es trabajo en vano: nunca alcanzarán la seguridad absoluta de estar en el buen camino. En esta materia, hay que contentarse con una certeza relativa y aceptar riesgos suficientemente ponderados.

De forma más concreta, algunos se ponen a dudar de la exactitud del enunciado de su misión: «¿Me habré equivocado? ¿me habré estado contando historias?», pensarán. ¡Que acaben un tanto drásticamente con sus dudas e inquietudes! El enunciado de la misión ofrece la ventaja de expresar una orientación más precisa que la que se tenía antes. Además, recordemos que uno no puede engañarse cuando se compromete en un camino que le apasiona. De todas formas, el enunciado no está «forjado en cemento»; siempre es posible corregirlo y mejorarlo.

Miedo a adquirir demasiado poder

¿Se puede temer tener éxito en la vida? Por extraño que pueda parecer, no son pocos los que no tienen más remedio que admitirlo. Sienten vértigo en el momento en que empiezan a tener éxito en su misión, intimidados al verse bajo las miradas críticas de la galería.

Algunos, víctimas del «complejo de Jonás», preferirán ignorar su misión y dejar que duerma su potencial. Evitarán así la angustia de tener que exponerse a las humillaciones, a la envidia, a las críticas del entorno, a las rivalidades y los riesgos del fracaso. Practicarán entonces técnicas evasivas: se mantendrán en la sombra, se fijarán aspiraciones modestas, se mostrarán inexpertos o incapaces, recurrirán a todo tipo de pretextos para justificar su inacción.

Otros sentirán la tentación de dimitir ante el posible éxito de su misión. Una especie de autosabotaje: tienen miedo a adquirir un nuevo poder demasiado exigente para ellos. Tomarán medidas contra los ataques de ansiedad de su sombra, que guarda reprimido su ardiente deseo de poder.

Miedo a pensar el futuro

Hay quienes tienen miedo a servirse de la imaginación para pensar el futuro. ¿Por qué esta reticencia? Para intentar comprenderla, he buscado los sinónimos de la palabra «visión» en el *Dictionnaire Larousse des synonimes*. Me han extrañado las opciones que propone por su connotación negativa. He aquí algunos ejemplos: quimera, desilusión, ilusión engañosa, alucinación, espejismo, ensoñación. También la palabra «imaginación» tiene connotaciones sospechosas: ¿no se dice que es «la loca de la casa», que «levanta castillos en el aire», como si perturbase el trabajo riguroso de la razón? Sin embargo, privarse de la imaginación y de su creatividad es cerrar el paso a la creación y a la planificación de proyectos para el porvenir.

¿Será este pesimismo un rasgo cultural de la mentalidad francófona? Esta actitud de desconfianza ante la imaginación está poco presente en la cultura anglo-americana, en la que, por el contrario, se tiende a exaltar su función. El escritor inglés Joseph Conrad alaba el poder de la imaginación: «Sólo en la imaginación humana es donde toda verdad alcanza una existencia real y auténtica... La imaginación [...] es la maestra suprema del arte y de la vida». Pensemos simplemente en las expresiones: *Follow your dream, American dream* o *The sky is the limit* (*Sigue tu sueño, El sueño americano* o *El cielo es el límite*). Es decisivo que estemos atentos a nuestras imágenes interiores, porque tienen el poder de hacer ver lo real como una fuente de abundancia o, por el contrario, como una realidad llena de dificultades.

Otras resistencias

Otras personas, por el contrario, querrán lanzarse a ojos ciegas a seguir su nueva orientación. Embalados, tenderán a quemar las etapas de preparación y de maduración. Se dirá de ellos que «vuelan hacia la gloria». Es el caso de aquella mujer que acababa de descubrir su talento poético y ya quería que sus primeros poemas fueran publicados de inmediato por una editorial muy afamada.

Otros sentirán la tentación de volverse para atrás. Nostálgicos del pasado, añorarán sus pasados éxitos, como le pasó al pueblo de Israel que, liberado de su esclavitud, no hacía más que recordar los ajos y cebollas de Egipto.

No faltan quienes se dejarán desviar y desanimar por la menor observación negativa que les haga cualquiera de su entorno. Hipersensibles a las reacciones de sus familiares o amigos, preferirán cambiar de orientación antes que soportar la incomodidad de la crítica.

Descripción detallada de la misión propia

Para superar estos obstáculos, tiene su importancia proceder de una forma sistemática. Al principio, el anunciado de la misión describe un ideal de envergadura, pero que todavía se mantiene vago y abstracto. Llega un momento en que hay que reformularlo de una forma más concreta y detallada. Es lo que intenta el planteamiento llamado de «afirmación». Consiste en hacerse una idea lo más precisa posible de los detalles de la misión propia y, luego, apelando a la imaginación creadora, considerarla como si ya estuviera realizada.

David Splanger describe así la importancia de esta función creadora: «Para los humanos, la imaginación es la matriz de la realidad. Todo lo que existe para nosotros en este mundo comienza en la imaginación de alguien»[1]. No se debe infravalorar la fuerza de la imaginación creadora: ella es la que programa tanto el éxito como el fracaso de lo que emprendemos. La «afirmación» supone que la persona considera lo real como lugar de éxito y de posibilidades. Al contrario, el que no alimenta más que ideas de fracasos y de humillaciones se atrae de hecho fracasos y humillaciones.

Veamos cómo obtener, por medio de la «afirmación», una visión potente y atractiva de la misión propia.

Utilización del planteamiento de la «afirmación»

Este planteamiento tiene la ventaja de motivar fuertemente a la persona a hacer realidad el objetivo que considera. La representación detallada de su misión le pondrá al acecho de las ocasiones favorables para su realización y así aumentará su capacidad de aprovecharlas. La «afirmación» es como un eco de la forma de rezar que enseñó Jesús tal y como la recoge el evangelista Marcos: «Por eso os digo: todo lo que pidáis en la oración, creed que ya lo habéis recibido y lo obtendréis» (Mc 11,24).

En un primer tiempo, la «afirmación» se orienta a alcanzar una visión detallada de la misión propia, que una vez formulada se podrá llamar «reseña virtual». En un segundo tiempo, invitará a imaginar esa visión como realmente realizada.

---

1. SPANGLER, D., *Everyday Miracles: The Inner Art of Manifestation*, Bantam Books, New York 1996, p. 148.

*Primera etapa: redactar una reseña virtual
de la misión propia*

Algunos ejemplos concretos nos permitirán ilustrar de antemano lo que entendemos por reseña virtual de la misión:

- Yo había formulado el enunciado de mi misión de esta manera: *Comunicar conocimientos que capaciten a las personas a ayudarse, a sanarse y a crecer en el plano psicoespiritual.* He aquí, ahora, la reseña virtual de lo que había pensado hacer en una época determinada de mi vida: *Divulgo conocimientos de psicología y de espiritualidad a auditorios cada vez más amplios. Además de mi trabajo de profesor, acepto dar conferencias, dirigir cursos y talleres y mantener entrevistas en diversos medios de comunicación social. Doy prioridad a las sesiones de formación dirigidas a agentes multiplicadores: educadores, profesionales, sacerdotes, padres, etc. Escribo obras de vulgarización que puedan ayudar a hacer el duelo, a perdonar de verdad y a mejorar la autoestima.*

- Otras reseñas virtuales son más concretas aún. He aquí en qué términos describía su misión una persona: *Deseo alcanzar una independencia económica cuanto antes en mi vida, para poder entregarme a una actividad apasionante.* Y su reseña virtual era la siguiente: *Obtengo mi primer millón de dólares a los treinta años. Me consagro a lo que me apasiona: ser catador de vinos. Me convierto en un experto en enología. Mediante talleres y congresos, recorro el mundo para los apasionados por el vino.*

- Un director de emisiones de radio se representó muy en concreto su misión: *Me hago trabajador autónomo al servicio del público en una actividad de alimentación.* He aquí cómo formulaba su reseña virtual: *Soy mi propio jefe; trabajo con los miembros de mi familia en el campo de la restauración y dejo satisfechos a mis clientes.* De hecho, la reseña virtual de su misión se concretó cuando se hizo propietario de una empresa de pescado ahumado. Como había previsto, lo convirtió en una empresa familiar. Expuso sus productos en un establecimiento anejo a la empresa. Con ocasión de un reportaje en la televisión, lo vi lleno de orgullo, rodeado de su familia, presentando a sus clientes sus truchas y salmones ahumados.

ESTABLECER OBJETIVOS INTERMEDIOS MÁS CONCRETOS

Puede ser que una reseña virtual sea demasiado general y lejana para poder anclar en la imaginación. Entonces hay que subdividirla en pequeñas reseñas virtuales que describan objetivos intermedios.

Debes trazar primero una lista de lo que necesitarás para realizar tu misión: recursos humanos y materiales, habilidades manuales, académicas y sociales, sin olvidar las cualidades morales como la perseverancia, la serenidad, el entusiasmo, la generosidad para con los demás, la capacidad de reflexionar, etc. Luego, estableces prioridades entre todo lo reseñado o todos esos objetivos.

Retomemos el ejemplo de la reseña virtual que yo hice de mi misión: *Divulgo conocimientos de psicología y de espiritualidad a auditorios cada vez más amplios, etc.* Para conseguir formar personas mediante la palabra y la escritura, necesitaba gozar de una salud conveniente. La reseña de mi misión a corto plazo debía incluir la recuperación de mi salud por todos los medios disponibles.

Mis prioridades se subdividían así:
Primer objetivo intermedio: *mejorar mi salud.*

Segundo objetivo intermedio: *mejorar mi expresión verbal y escrita.*

Tercer objetivo intermedio: *aceptar hablar a auditorios cada vez más amplios.*

COMPONER EFICAZMENTE LA RESEÑA VIRTUAL

He aquí algunas reglas para componer la reseña virtual propia de manera que resulte atractiva y dinamizadora.

- La reseña virtual de la misión propia debe ser positiva:
  - di: *Tengo las energías y la preparación necesarias para hablar en público y para escribir unas horas cada día;*
  - no digas: *No estoy cansado de hablar y escribir.* Este tipo de formulación no impactará tu imaginación y es fácil que produzca un efecto contrario al deseado.

- La reseña virtual debe tener un contenido realizable por ti mismo, no por otros:
  - di: Como bien; duermo lo suficiente para trabajar relajado; tomo un suplemento de vitaminas y las medicinas que me han prescrito los médicos;
  - no digas: Quiero que mi médico me cure y me ponga en buena forma física.

- Formula tu reseña virtual como si ya lo hubieras conseguido:
  - di: Me siento lleno de energía; gozo de mejor salud; como bien; hago ejercicio; etc.
  - no digas: Debería alimentarme mejor; necesitaría hacer ejercicio físico, etc. Evita utilizar el futuro o el condicional, ya que entonces el espíritu humano tenderá a meter ese tipo de reseña en «el cajón de la mesa» y a diferir continuamente su realización.

- Para que la reseña produzca y mantenga todo su efecto sobre la imaginación, es importante que describa detalladamente el objetivo a realizar, sin omitir las sensaciones, movimientos, colores, aromas, sonidos, sensaciones táctiles, etc. De esta forma el espíritu se convencerá de que se trata de un objetivo concreto que hay que proseguir inmediatamente. Tu reseña virtual constituye así un «mapa mental» muy motivante.
    - di: Por la mañana camino durante cuarenta y cinco minutos por el campo. Tomo alimentos sanos, legumbres frescas y fruta; tomo mis vitaminas regularmente; bebo cuatro vasos de agua al día; etc.;
    - se concreto, evita hablar en abstracto: Hago ejercicio, me alimento mejor; etc.

- Si sientes cierto malestar o dudas al leer tu reseña virtual, es que no concuerda totalmente con el conjunto de tu personalidad. En la jerga psicológica se dice que no responde a la ecología de tu persona. Por tanto, procura mejorarlo o cambiarlo a fondo.

*Segunda etapa: «afirmar» la realización
de la reseña virtual de la misión propia*

Una vez redactada la reseña de forma que favorezca la creatividad de la imaginación, ya no queda más que «afirmar» su realización.

He aquí dos estrategias orientadas a mantener una tensión creativa para realizar tu reseña virtual. Elige la que veas que se te acomoda mejor.

PRIMERA ESTRATEGIA: VISUALIZA TU RESEÑA VIRTUAL

La primera estrategia consiste en ejercitarte en visualizar tu reseña virtual:

Toma una postura confortable; relájate poco a poco escuchando los ruidos normales del entorno; esto te permitirá entrar más profundamente en ti mismo.

Mira a tu alrededor, observa los colores, las formas, los contrastes de luz y de sombra; esto te permitirá interiorizarte más todavía.

Toma conciencia de tu respiración: tu inspiración, tu expiración, observa cuál de ellas es más prolongada...; este ejercicio te hará entrar todavía más profundamente en tu propio interior.

Déjate empapar poco a poco por una dulce luz espiritual.

Imagínate que has realizado el contenido de tu reseña virtual, que has conseguido llevar a cabo tu misión tal como la has concebido.

Toma conciencia de que ha cambiado tu visión del mundo, de los acontecimientos, de las personas y de ti mismo.

Ve detalladamente tu nuevo proyecto de vida. Siéntete orgulloso de él.

Hazte una imagen viva y bien coloreada de tu nueva situación.

Escucha el nuevo diálogo que se desarrolla en el interior de ti mismo.

Escucha a las personas que hablan abundantemente de tu éxito.

Oye lo que se comenta a tu alrededor desde que vas realizando tu objetivo.

¡Felicítate por ello!

Saborea la alegría, la satisfacción y la felicidad de haber llegado a concretar tu misión.

Permítete sentir un verdadero orgullo ante tu realización y tu éxito.

Al final de tu meditación, haz una oración de acción de gracias a Dios o a la Providencia, que ha colaborado contigo en lo que has logrado.

Luego, lentamente, a tu ritmo, sal de ti mismo llevando contigo los sentimientos de alegría, de satisfacción y de felicidad que acabas de vivir.

Date todavía un momento más de silencio para sentirte plenamente colmado y confiado ante los nuevos desafíos de la vida.

No cuentes a nadie esta meditación. Es tu secreto. Sigue tu vida dedicándote a tus ocupaciones como si nada hubiera pasado.

Repite esta meditación una vez al día, por la mañana o al caer el día, hazla en un sitio tranquilo y apacible. Esto te permitirá percibir y captar las ocasiones favorables para la realización de tu misión. Te irás comprometiendo en las actividades necesarias para realizar el sueño de tu vida. Y lo conseguirás sin tener que desplegar esfuerzos desmedidos, con la seguridad de que la Providencia o el Universo colabora en la ejecución de tu proyecto de vida.

Laurie Beth Jones[2] propone un interesante ejercicio de visualización interesante que requiere cierta habilidad de acrobacia mental. Se trata de mantener en la cabeza dos imágenes superpuestas, como vemos a veces en la pantalla de la televisión.

La primera imagen es la de tu situación actual; la segunda, la de tu reseña virtual. Todos los grandes creadores tienen esta facultad de imaginar de antemano su obra maestra lograda a la perfección con los materiales que trabajan: los pintores la proyectan sobre la tela todavía en blanco, los escultores la detectan en el bloque de piedra, los músicos la oyen antes de traducirla en la partitura.

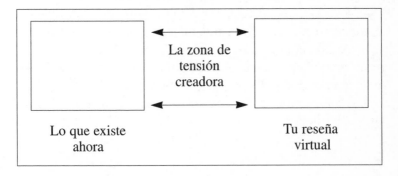

2. JONES, L. B., *Tous les chemins mènent à soi: l'importance de trouver sa voie*, Le Jour, Montréal 1996.

Al principio notaras en ti una tensión, un stress necesario ante la distancia que separa tu situación actual de la nueva visión de tu misión. Esfuérzate por mantener la tensión creativa entre lo que ya existe y lo que sucederá una vez cumplida la misión.

Esta estrategia impide dejarse llevar por la rutina cotidiana, confortable pero ineficaz y aburrida. La visión de tu reseña virtual creará tal entusiasmo que logrará vencer la inercia y la inseguridad que sentirás ante lo desconocido.

Cuando yo emprendí los estudios de Programación neurolingüística en psicoterapia, estaba entusiasmado por la eficacia de este método. Durante los cursillos de formación, pude constatar *de visu*, en los clientes, los cambios rápidos y duraderos que producía este método. Pero, a pesar de mi entusiasmo, no lograba utilizar la PNL en mi consulta.

Pues bien, he aquí que al final de una sesión de formación de cuatro días, John Grinder, uno de los fundadores de la PNL, nos propuso un ejercicio que podía ayudarnos a poner en práctica los conocimientos adquiridos a lo largo del cursillo. Primero nos puso en estado de relajación; luego, nos hizo visualizar mentalmente nuestra sala de consulta y los nuevos clientes con los que utilizábamos únicamente las estrategias de la PNL.

Al día siguiente por la mañana, apliqué espontáneamente las estrategias de la PNL con mi primer cliente. Desde entonces no he tenido la menor reticencia en servirme de este método. Con notable admiración por mi parte, la visualización que nos propuso John Grinder me había sacado de mis viejos hábitos. Experimenté, entonces, toda la fuerza de una reseña virtual como medio para conseguir un porvenir bien logrado.

12
La misión en acción

Un turista que visitaba una leprosería
hizo unas fotografías a una religiosa
que estaba haciendo las curas a un leproso.
Después de tomar algunas fotos, exclamó:
«Aunque me dieran todo el oro del mundo,
jamás haría yo semejante trabajo».
Y la religiosa respondió:
«Tiene razón. ¡Yo tampoco!».

Liberar un cohete de la gravedad terrestre exige una fuerza colosal. Una vez puesto en órbita, se mueve él mismo en virtud de la ley de la inercia. Del mismo modo, dar los primeros pasos para cumplir el propio proyecto de vida exige mucha energía y mucho coraje. El que explora su misión pasa por momentos críticos en los que se hace obsesiva la tentación de abandonar. Se agitan en su cabeza muchas preguntas: «¿Y si me estuviera equivocando?... ¡cuánto tiempo, cuántos recursos y cuántos esfuerzos inútiles! ¿Estoy suficientemente preparado para afrontar las dificultades que me esperan? Quizás debería seguir otros cursos... Y si fallase en mi intento, ¿qué dirá la gente? Seguramente estoy siendo demasiado pretencioso».

En los momentos de duda y de tergiversación, es conveniente invertir el problema y decirse: «Qué me ocurriría si no realizase el sueño de mi vida? ¡Cuántas lamentaciones por no haberlo intentado al menos! ¡No puedo ni imaginarme a mí mismo siguiendo la rutina, sin satisfacer la pasión que me anima». Para algunos, el pensamiento de fracasar en su misión y el del sufrimiento psicológico consiguiente sirven de motor para pasar a la acción. La nostalgia, el aburrimiento, el vacío del alma, la sensación de esterilidad, la depresión sorda, el descontento, la desilusión, los sueños insatisfechos: es el precio que hay que pagar por no dar cauce a la misión. Anthony Robbins dice con convicción: «La toma de conciencia del dolor que uno sufre es el instrumento definitivo para cambiar de actitud»[1].

Por su parte, Laurie Beth Jones sostiene que el pensamiento de no realizar el sueño de nuestra vida sirve de «punto de apoyo» para afrontar mayores riesgos. A mi juicio, todo depende de la personalidad de cada uno: algunos se sentirán seducidos por la perspectiva de cumplir su misión personal; otros se verán más motivados por el miedo a hundir en el fracaso el sueño de su vida. En mi experiencia personal, ambos movimientos estuvieron presentes, pero me parece que la pasión por seguir la misión prevaleció sobre el miedo a fallar.

Evitar la precipitación: asumir riesgos calculados

La más larga caminata empieza por el primer paso
(Anónimo)

Un peligro acecha en ocasiones a los que se lanzan a perseguir su sueño. Bajo el golpe de la iluminación, arrebatados por el entusiasmo, creen que pueden alcanzar la notoriedad de la noche a la mañana. Desde el primer éxito se imaginan que han llegado a la cima de la gloria. Su ego se infla. Pien-

---

1. ROBBINS, A., *L'eveil de votre puissance intérieure*, Le Jour, Montréal 1993.

so en aquellos escritores que desean ser famosos desde sus primeros escritos, en esos pintores aficionados que quieren exponer ya en una galería de arte célebre, en esas personas que, tras dos semanas de formación, ya se declaran «gurus». Su impaciencia y su precipitación los conducen a amargos sinsabores que los desaniman. De ahí la necesidad de progresar poco a poco, con perseverancia, coraje, paciencia y discernimiento.

Al revés de las personas que dan pruebas de precipitación, hay otros que no se atreven a dar el primer paso. Se pierden en cálculos y análisis; inquieren la opinión de expertos, siguen cursos de formación sin terminar nunca de prepararse, cuando en realidad lo que tendrían que hacer es «echarse al agua» simplemente.

Lo importante es ponerse en camino y poner en ello todo el corazón. He aquí un ejemplo de lo vivido por mí cuando publiqué mi primer libro, *Aimer, perdre et grandir*. Por entonces daba yo muchas conferencias sobre la necesidad de hacer el duelo. Era animador de cursillos sobre este tema y daba sesiones de formación a diversos grupos de especialistas. Se me ocurrió, entonces, escribir un libro sobre el duelo. La mera idea de escribir me paralizaba. Volvía a ver a mi profesor de francés leyendo en clase mis composiciones y ridiculizando mi prosa deficiente. Sin embargo, me obsesionaba la idea de escribir sobre el duelo. Entonces me puse a escribir al azar hojas sueltas sobre mis conocimientos y experiencias en el tema. Un día, me decidí a juntar mis reflexiones y a hacer con ellas un folleto fotocopiado. Para asegurarme sobre el valor de aquel documento, se lo di a leer a algunos amigos.

Mientras esperaba su veredicto, viví un auténtico tormento, lleno de dudas e incertidumbres. Con gran satisfacción mía, recibí comentarios entusiastas. Algunos de mis lectores-testigos completaban incluso mis poemas con algunos versos de su propia cosecha. ¡Así que les había llegado! Estimulado por sus ánimos, me puse a divulgar el folleto entre las personas que asistían a mis conferencias. Una tarde, después de una conferencia, una amiga que tenía una pequeña editorial se mostró interesada por su publicación. Fue el comienzo de mi aventura de escritor. Las fotocopias del principio se han convertido hoy en un libro traducido a seis lenguas.

Esta experiencia me enseñó a construir mi misión de forma progresiva. Añadamos, sin embargo, que algunas misiones exigen, ya desde el principio, una gran entrega de sí mismo, como ocurre con esas zanjas que no se pueden saltar sin tomar carrerilla.

Contar con las pruebas en el camino de la misión

En los mitos, todos los héroes llamados a realizar grandes hazañas se encuentran con obstáculos en su camino: gigantes, hechiceros, sirenas, monstruos, trampas, montañas infranqueables, atractivos que los apartan de su misión, etc. Del mismo modo, cuando respondemos a nuestra llamada, tenemos que contar con que seremos sometidos a prueba. La solidez de nuestro proyecto será puesta a prueba.

Nos veremos también en la obligación de desprendernos de muchas cosas, previstas o imprevistas. En no pocas ocasiones tendremos que sacrificar nuestras seguridades, nuestro status social, nuestras distracciones, la aprobación de nuestra familia o de nuestros camaradas, el desahogo económico, etc. La palabra «sacrificar» –del latín *sacrum facere*, es decir «hacer sagrado algo»– adquiere aquí todo su significado. Renunciamos a ciertos bienes por un bien superior. Por los sacrificios aceptados, nos veremos recompensados con el «toisón de oro» de la misión.

A los desprendimientos voluntarios se añadirán otras renuncias, esta vez imprevistas: una enfermedad, un accidente, incomprensiones, el abandono de una persona con la que contábamos, trabas administrativas, etc. Yo me encontré con estos obstáculos cuando decidí proseguir los estudios de psicología clínica en San Francisco, a mis 42 años. Pero mi voluntad de adquirir una buena formación psicológica me permitió superar todas las dificultades. Hoy comprendo mejor aquella afirmación de Nietzsche: «El que tiene un "porqué" como objetivo, una finalidad, puede soportar cualquier "cómo"». La necesidad de hacer realidad la llamada del alma permite sacar de uno mismo energías y recursos insospechados.

Las pruebas provienen a veces de la naturaleza misma de la vocación elegida. Un médico ya bastante mayor me contaba las desilusiones que tuvo que vivir al comienzo de su carrera. Él, que soñaba con curar a los enfermos y salvarlos de la muerte, fue encargado, durante sus prácticas de internado, de bajar los cadáveres a la «morgue». La visión de los cuerpos fríos y sin vida sobre la piedra desnuda le descorazonaba. Estuvo a punto de dejarlo todo. Pero la idea de que él formaba parte de un largo linaje de médicos que también habían tenido que cumplir con esas tareas tan poco interesantes le dio ánimos para perseverar.

Lo mismo le sucedió también a una mujer embarazada que, después de haber vivido momentos muy felices, se sintió llena de pánico ante la perspectiva del parto. Tenía miedo de no ser capaz de soportar los dolores, miedo a morir, miedo a dar a luz un niño deforme o que se muriera al nacer. Para superar esos temores, se puso a pensar en todas las mujeres que la habían precedido y que habían superado esos mismos tormentos físicos y psicológicos. Esta reflexión la reconcilió con los desafíos y las vicisitudes de la maternidad.

Este médico y esta futura mamá sacaron su fuerza y su coraje de la consideración de las grandes imágenes arquetípicas que anidaban en su interior. Vinculados así a la fuerza del mito del curador y al de la madre universal, tomaron conciencia de que no estaban solos a la hora de vivir su aventura, sino que estaban relacionados con toda la humanidad.

Miedo a las reacciones del entorno

La opinión de los demás es un factor importante para perseverar en la misión propia o para abandonarla. El posible rechazo de los amigos más íntimos despierta los viejos temores de verse abandonado, que se remontan a la infancia. No es raro que la decisión de proseguir la misión que uno siente asuste y desconcierte a los padres y a los más próximos. Abundan los ejemplos: un padre decide abandonar un trabajo lucrativo para seguir su pasión; una madre desea comenzar los estudios que le permitan profesionalizarse; la hija desea casarse con un muchacho que no acaba de gustar a los padres; el hijo, sin el menor interés por seguir las huellas del padre, acaricia otros proyectos de vida. Es penoso tener que ir en contra de las expectativas de los miembros de la propia familia. Éstos manifestarán su desacuerdo de diversas formas: frialdad, distanciamiento, sarcasmos, e incluso amenazas de todo tipo. Pero el precio a pagar para realizar el deseo de nuestra alma nunca es demasiado elevado, aunque tengamos que afrontar el desacuerdo y la incomprensión.

La tendencia que caracteriza a las instituciones, sean la familia, la escuela, el gobierno, el ejército, sean las instituciones religiosas y las demás, consiste en recompensar la sumisión y la conformidad más que la autonomía y la originalidad. Pues bien, nada milita tanto como eso contra la realización de una misión nueva. Los guardianes de la tradición, del orden y de la estabilidad ven con malos ojos a los que desean seguir la voz de su alma. Y paradójicamente, son los originales, los iniciadores, los inventores, los creadores, los artistas los que, sacudiendo los viejos tabúes y las leyes obsoletas, hacen que progresen las mismas instituciones que antes los habían «excomulgado». No siempre me hago buenos amigos cuando aseguro a mis alumnos que, llegados a la mitad de la vida, hay que obedecer menos a la voluntad de los superiores que a las propias llamadas profundas...

Seguir la propia misión puede llegar a significar, incluso, tener que alejarse del propio grupo de pertenencia, si resultara demasiado difícil soportar sus críticas: «¿Por quién se tiene éste para cambiar de trabajo? ¡Le gusta mariposear! ¡No es capaz de quedarse en su sitio!». Quien está dispuesto a seguir su llamada propia tiene que aceptar también sufrir las sospechas y agresividades de quienes no han tenido el coraje de hacerlo. Romper la quietud conformista de un ambiente o de un grupo rompe la imagen fija que los demás se han hecho de sí mismos. Perder su reputación de «buen chico» o de «buena chica» es el precio que a veces hay que pagar por realizar el sueño de nuestra alma. Hay que saber soportar este miedo visceral arraigado en la sensibilidad del niño que duerme en nosotros; en una palabra, hay que arrostrar el miedo a la desaprobación y al rechazo social.

Decir «sí» a la misión propia da miedo, porque obliga a elegir a los verdaderos amigos. ¡Dichoso quien puede contar con el estímulo de al menos una persona que crea en él y en su misión! En vísperas de emprender mis estudios de psicología, recibí el apoyo incondicional de mi superior local. Quizás él nunca lo supo, pero en las horas más negras sus palabras me devolvieron el ánimo que necesitaba para continuar.

Buscar verdaderos colaboradores

Un día confié a un compañero mío mi proyecto de publicar, en unos meses, un segundo libro. Me aconsejó que no lo hiciera, pretendiendo que era un afán malsano de popularidad y un deseo exagerado de ganar dinero. Un poco impresionado al principio por sus palabras, pronto las borré de mi espíritu y seguí adelante con mi proyecto de escribir el libro. Cuando uno está en la pista de realizar su misión, debe aprender a discernir a los «profetas de desventuras» y a alejarlos de sí. En efecto, los consejos que dan tienen más de su propio miedo, quizás incluso de su envidia, que de su deseo de ayudar.

Para cumplir la misión propia, saber pedir ayuda es también una baza muy valiosa. A menudo, por cobardía o por espíritu de independencia mal entendida, no nos atrevemos a solicitar la ayuda de otras personas. ¿No es un rasgo de nuestra cultura querer cabalgar solos, ufanarse de haber alcanzado el éxito uno solo y poder decir: *«I did it my way» (lo hice a mi manera)*, como tan bellamente cantaba Frank Sinatra? Por eso es importante para una persona que acaricia un gran proyecto sentarse a hacer una lista de todo lo que va a necesitar: recursos materiales, conocimientos, cooperadores, estímulos, etc. Una vez completada la lista, la persona estará en condiciones de determinar las tareas que podrá realizar ella sola. Para lo demás, deberá hacerse ayudar. No pedir ayuda es el mejor medio de no tenerla. Por el contrario, si uno se atreve a pedirla, casi siempre es seguro que la obtendrá. En efecto, la mayor parte de las personas se sienten honradas por la confianza que se pone en ellas.

En nuestros colaboradores buscamos cualidades especiales. También ellos tienen que creer en nuestro proyecto y hasta entusiasmarse con él. Sin embargo, es importante que manifiesten cierto distanciamiento. No queremos una relación de dependencia, sino de interdependencia respetuosa, parecida a la de un mentor con su discípulo. Además, es preferible escoger un colaborador que esté él mismo intentando cumplir su propia misión, una persona que conozca su camino por haberlo recorrido y que esté dispuesta a aportar su preciosa experiencia y sus consejos prácticos. Para la redacción de mis libros, he encontrado el mentor ideal: se interesa por mi trabajo, corrige mis escritos, denuncia las faltas de claridad, contradice algunas afirmaciones, sugiere algunas mejoras y se alegra de mis éxitos.

Renovar constantemente el compromiso

¡Que no se nos ocurra pensar que, una vez cumplida nuestra misión, ya no nos queda nada por hacer en la vida! En efecto, después de haber respondido a tu llamada, te será cada vez más difícil hacer que calle tu vocecilla interior. Esta voz te exigirá que sigas valorando el sueño de tu alma. No cesará de atormentarte después de los primeros éxitos. Constantemente vuelta hacia el futuro, ya no te permitirá mirar hacia atrás. No te dejará ni un respiro: apuntará a nuevos desafíos, por ejemplo, al de llegar a más personas e influir cada vez más en ellas.

Cuando echo una mirada sobre mi vocación de comunicador que incita a otras personas a ayudarse a sí mismas, descubro que mi misión ha alcanzado horizontes mucho más vastos que los que había previsto al principio. Fui primero psicoterapeuta, luego animador de pequeños grupos, más tarde escritor que enseñaba a la gente a solucionar ellos mismos sus propios problemas. A pesar de mi timidez, empecé diciendo «sí» a la invitación de hablar a grupos pequeños. Repetí mi «sí» cuando se trató de hablar a amplios auditorios o de conceder entrevistas a los medios de comunicación social: prensa, radio y televisión. Mis primeros «síes» me han ido llevando hasta a dar sesiones de formación en Europa. ¿Qué me queda todavía por emprender? ¿Crear una página en Internet? ¿Crear un centro dedicado a la formación de multiplicadores? ¿Escribir otros libros que desarrollen los temas que ya he tratado? Todavía no vislumbro el final de mi misión.

Ejercicio de visualización de los obstáculos a superar para realizar la misión propia

A veces, la mera idea de ver concretarse la misión propia hace surgir toda clase de miedos y de obstáculos que uno se imagina vendrán a lo largo del camino. ¿Fantasmas o realidad? Para tener todo esto en cuenta, he aquí un ejercicio de visualización que te permitirá mirarlos cara a cara y dar con los medios de domesticarlos.

Relee la reseña virtual de tu misión. Si te parece que todavía no es suficientemente concreta, puedes añadir las precisiones oportunas.

Entra poco a poco en ti mismo. Cierra los ojos si te parece necesario. Escucha los ruidos y sonidos que te rodean y entra más profundamente en tu interior. Toma conciencia de tus inspiraciones... de tus expiraciones... Esto te ayudará a aumentar tu nivel de interiorización.

Deja que se relajen tus tensiones. Expira lentamente tu fatiga y cansancio. Siente cómo se relaja tu cuerpo.

Imagínate ahora un símbolo que pueda representar tu misión, sea una persona, un objeto, un animal, un paisaje o cualquier otra cosa. Rodea a ese ser de luz y ponlo en lo más alto de cualquier lugar elevado. Date tiempo para contemplarlo detenidamente.

Contempla también el camino que conduce a tu símbolo.

Date tiempo para imaginártelo lo más realistamente posible.

A lo largo de todo este camino, ves, oyes y sientes la presencia de seres más o menos extraños. Ahí están, a la derecha y a la izquierda del camino, para impedirte alcanzar tu misión.

Entretanto, siempre muy dentro de ti mismo, renueva tu deseo y tu voluntad de recorrer el camino que te separa del objeto de tus sueños. Mantienes los ojos fijos en el esplendor del símbolo de tu misión, que está allá arriba en la cima elevada.

A un lado del camino te encuentras con seres que intentan distraerte. Te señalan otros caminos opuestos. Te invitan a que vayas por ellos. Imagínate las cosas y las actividades que te presentan para seducirte y distraerte del camino de tu misión.

Al otro lado, otros seres intentan meterte miedo. Imagínate lo que te dicen para desanimarte a avanzar: «No eres capaz... nunca llegarás... te falta el coraje y la perseverancia necesarios para llegar a la meta... déjalo, es demasiado difícil...». Puedes, incluso, identificar a las personas que podrían decirte esas palabras.

Todavía más adelante, ves a los profetas de desventuras. Oye lo que dicen.

En el camino hay personas que dudan de tu éxito; tienen miedo de que cambies demasiado a sus ojos, temen no reconocerte. En consecuencia, quieren disuadirte de proseguir tu misión. Te amenazan con abandonarte. ¿Quiénes son esas personas?

También te encontrarás con algunos que se burlan de ti ridiculizando tu proyecto. ¿Qué les dices? Una buena táctica consiste en ignorarlos sin más.

Te encuentras, luego, con personas que intentan seducirte y distraerte de tu misión. Imagínalos en su tarea de intentar dispersar tus energías.

Párate a dialogar con algunos de estos adversarios de tu misión. Con otros, ni siquiera ves que tenga utilidad alguna detenerte.

En cada uno de esos obstáculos con que te encuentras, sigue concentrándote en tu misión y sintiendo en tu interior coraje, fuerza y entusiasmo.

Todos esos siniestros personajes no hacen más que redoblar tu determinación interior de alcanzar tu misión.

Llegado finalmente al símbolo de tu misión, date tiempo para tomar posesión él. Saborea tu victoria y deja que brote en ti un sentimiento de orgullo y de satisfacción. Echa una mirada rápida sobre todos los obstáculos con que te has encontrado y felicítate por tu coraje, tu destreza y tu perseverancia. Estos sentimientos te seguirán animando durante los días, las semanas, los meses y los años venideros.

Poco a poco, a tu propio ritmo, vuelve al exterior de ti mismo. Abre lentamente los ojos. Te sientes sereno, distendido y orgulloso de ti mismo.

* * *

La historia de Jonás tuvo un final feliz. En cuanto aceptó su misión, se calmó la tempestad del mar. Predicó a las gentes de Nínive, que recibieron la luz y se convirtieron. Dios mismo cambió: «dejó su espíritu de venganza» (forma simbólica de hablar) y se llenó de compasión por los ninivitas. El «sí» de Jonás superó los límites de su drama personal e irradió sobre todo su entorno.

El diálogo, hecho de llamadas y de respuestas a tu misión, te pone en contacto directo con las profundidades del Yo, el Dios de la intimidad de tu alma y, por una misteriosa alquimia, con la comunidad que te rodea. La realización de tu misión muestra su capacidad de contagio: crea un campo de energía invisible, pero muy real. Como consecuencia de la aceptación de tu misión, otras personas se levantarán de su estupor y de su vacío existencial, dejarán que surja el sueño de su alma y se pondrán a creer en su misión propia.

13
Diario de los descubrimientos de mi misión

¿Por qué llevar un diario?

Los que habéis leído esta obra os preguntaréis quizás adónde habéis llegado en la búsqueda de vuestra misión. Este capítulo os ayudará a hacer el balance de vuestros descubrimientos. En particular, os permitirá, primero, recopilar los resultados de los ejercicios y, luego, ponerlos en orden y precisar más aún el enunciado de vuestra misión.

El resumen de vuestros hallazgos va siguiendo el esquema de los capítulos respectivos.

* * *

LA FASE DEL «SOLTAR PRESA»

I. Hacer mis duelos (capítulo 4)

DIVERSOS TIPOS DE DUELO

¿A qué etapa de transición he llegado y qué previsibles pérdidas tendré que afronta?

Pérdidas sufridas durante la infancia: _____

_____

Pérdidas ligadas a la adolescencia: _____

_____

Pérdidas en la mitad de la vida: _____

_____

Pérdidas en el momento de la jubilación: _____

_____

Pérdidas propias de la ancianidad:_____

_____

Pérdidas debidas a enfermedad y a minusvalías: _____

_____

Otras: _____

_____

_____

_____

¿Qué pérdidas accidentales no previstas he tenido que afrontar?

Accidentes: _____

_____

Despidos laborales y paro: _____

_____

Divorcio y pena de amores: _____

_____

Fracasos: _____

_____

Pérdidas de reputación: _____

Otras: _____

_____

_____

_____

¿Qué indicios o señales te muestran que está a punto de iniciarse un cambio en tu vida?

Aburrimiento, sentimiento de vacío y de sinsentido: _____

_____

Nostalgia, depresión, vacío anímico: _____

_____

Sentimiento de culpabilidad por haber errado tu vida: _____

_____

Síntomas físicos difícilmente explicables por la medicina:

_____

_____

Sueños en vigilia sobre lo que podría haber realizado: _____

_____

¿A QUÉ FASE DE MI DUELO HE LLEGADO?

¿Estoy viviendo la fase de choque y negación de mi duelo?:

_____

_____

¿Me permito vivir mis emociones y mis sentimientos:

impotencia, miedo, tristeza, cólera, pena, liberación, toma de conciencia de que todo ha acabado bien? _____

_____

¿Estoy dispuesto a reconocer mi pérdida y a empezar a solucionar ciertos asuntos, por ejemplo: despojarme de cosas inútiles, completar las transacciones, desprenderme de lo que ya no existe, etc.?:_____

_____

Después de la pérdida sufrida, ¿estoy decidido a encontrar un sentido a mi vida y a pensar en una misión especial derivada del drama que acabo de vivir? _____

_____

¿Soy capaz de perdonarme mis faltas de amor y de perdonar a los otros por haberme abandonado?: _____

_____

¿Estoy cosechando la herencia de todos mis amores, los esfuerzos y energías que he desplegado mientras estaba vinculado al ser querido?: _____

_____

II. Curar para reencontrar mi misión (capítulo 5)

MIS HERIDAS

¿Qué principales heridas debo curar para recobrar la confianza en mí mismo?: _____

_____

EL PERDÓN Y SUS ETAPAS

¿A qué etapas del perdón he llegado?

He acabado con la idea de vengarme: _____

_____

Soy más consciente de mi herida: _____

_____

Hablo de ello con mi ofensor o con una persona de confianza _____

_____

Concreto nítidamente la parte herida de mi ser, para hacer mi duelo sobre ella: _____

_____

Supero mis movimientos de venganza y de agresividad: ___

_____

Me perdono de haberme dejado agredir y de seguir haciéndome daño: _____

_____

Comprendo a mi ofensor: _____

_____

Doy un sentido a mi vida después de mi herida: _____

_____

Renuncio al sentimiento de superioridad moral que podría darme el hecho de haber perdonado: _____

_____

Me entrego al amor de Dios que me ha perdonado y me ha dado fuerzas para perdonar: _____

_____

_____

Me reconcilio en mi corazón con mi ofensor y reflexiono para saber si es prudente establecer una nueva relación con él o ella: _____

_____

MI MISIÓN

Indicios o señales de una misión que se derive de mis duelos y de mis heridas: _____

_____

_____

¿El sentido que toma mi vida como consecuencia de un duelo o de una herida grave me proporciona indicios o señales sobre mi misión?: _____

_____

_____

_____

* * *

LA FASE DE «MARGEN»

I. Identificación de mi sombra (capítulo 6)

Resumo mis descubrimientos y describo los aspectos de mi sombra que he descubierto en mí tras las preguntas que me he hecho sobre mi sombra: _____

_____

_____

_____

_____

_____

¿Hasta qué punto he logrado convertir a mi sombra en una amiga e integrarla para sentirme más en armonía conmigo mismo?: _____

_____

_____

_____

_____

_____

II. La búsqueda de mi identidad (capítulo 7)

Son muchos los que se preguntan cuál es su identidad profunda, la naturaleza de su Yo. Como hemos dicho, el Yo emerge a medida que se va despojando de sus identidades superficiales, sea como consecuencia de una pérdida involuntaria sea por el ejercicio de la desidentificación.

¿Cuáles han sido los resultados de los dos ejercicios de desidentificación? ¿De qué he tomado conciencia?: _____

_____

_____

_____

_____

_____

_____

BÚSQUEDA DE LOS SÍMBOLOS QUE ME DEFINEN MEJOR

Resumo aquí los resultados obtenidos en los ejercicios que he hecho para descubrir mi identidad.

Primer ejercicio

Las historias que me encantaron en mi infancia, mi adolescencia y mi madurez:

1 _____

2 _____

3 _____

Segundo ejercicio

¿Cuáles son las cualidades morales que encuentro en mis «héroes»?: _____

_____

_____

_____

Tercer ejercicio

¿Con qué personaje histórico o mítico, animal, planta, etc. me he identificado?: _____

_____

Describo cómo ese ser me define en parte: _____

_____

_____

Cuarto ejercicio

Descripción de las cualidades que hacen de mí una persona única: _____

_____

_____

_____

_____

III. Estrategias para descubrir mi misión (capítulo 8)

Como consecuencia de haber repasado tu historia personal, has percibido cierto número de constantes: gestos, actitudes, tomas de posición o de decisión, cualidades relacionales. Estas informaciones sobre ti mismo te habrán ayudado a definir los arquetipos que anidan en tu personalidad. Enumera y da nombre a esos arquetipos describiendo sucintamente su influjo en tu vida: _____

_____

_____

_____

_____

_____

¿He encontrado en la historia de mi vida temas que se repiten y que me han proporcionado indicios o señales sobre mi misión?: _____

_____

_____

¿Me he identificado con algunos arquetipos? ¿Con cuáles?:

_____

_____

Arquetipo 1º: _____

Arquetipo 2º: _____

¿Cuáles son los héroes –y su misión– en los que he vislumbrado indicios precursores de mi misión?: _____

_____

_____

_____

MI ORACIÓN FÚNEBRE

Resumo brevemente los rasgos principales de mi personalidad y de mi misión, tal como fueron descritos en el elogio fúnebre de mis funerales: _____

_____

_____

_____

_____

_____

_____

CONCLUSIÓN

Con los datos recogidos en este capítulo, has empezado a describir algunos parámetros de tu misión.

IV. Mi pasión, mi misión (capítulo 9)

Aquí tienes que releer tu último enunciado provisional de tu misión, tal como lo redactaste en el capítulo 9. Retómalo a la luz de todos tus hallazgos y del conjunto de informes que has adquirido. Añade a la ficha de tu misión las cualidades que la justifican y el contexto en que deseas ejercerla.

El tercer enunciado de mi misión: _____

_____

_____

_____

_____

LAS LLAMADAS QUE PROCEDEN DEL UNIVERSO
(CAPÍTULO 10)

Las metáforas que retengo sobre mi misión y sobre mi visión del mundo y del universo: _____

_____

Estoy atento a los mensajes que el mundo me envía (sincronicidad): _____

_____

_____

Mantengo vivos los mensajes que me han llegado de algunos profetas: _____

_____

_____

RESUMEN DE LA FASE DE «MARGEN»

Date tiempo ahora para observar la coherencia entre tu enunciado de tu misión y el conjunto de informaciones que has ido acumulando hasta ahora. Pregúntate, por ejemplo: ¿está el enunciado de mi misión en armonía con mi visión del mundo, con el sentido que he dado a mi vida después de las pérdidas que he sufrido, con los mensajes que me han llegado de personas significativas, con los símbolos con que me he identificado, con mi arquetipo principal, con los rasgos de mi personalidad que he descubierto en mi elogio fúnebre, etc.?

En caso afirmativo, parece que el enunciado de tu misión traduce la aspiración auténtica de tu alma. Si, por el contrario, es muy escasa la correspondencia existente entre la ficha de tu misión y las informaciones que has recogido, pregúntate qué correcciones tendrías que hacer.

* * *

LA FASE DE «PARTIR DE NUEVO»

Mi reseña virtual:
descripción detallada de mi misión (capítulo 11)

Si hay reseñas virtuales intermedias, ¿cuáles son?

Primera reseña virtual intermedia: —————————————
—————————————————————————————————————
—————————————————————————————————————
—————————————————————————————————————

Segunda reseña virtual intermedia: ———————————————
—————————————————————————————————————
—————————————————————————————————————
—————————————————————————————————————

Mis resistencias para cumplir mi misión (capítulo 12)

Nostalgia del pasado:—————————————————————
—————————————————————————————————————

Precipitación: _____

_____

Dudas sobre la autenticidad de mi misión: _____

_____

Indecisión incluso cuando es clara la visión de mi misión:

_____

Miedo a la resistencia que me opone mi entorno próximo:

_____

Miedo a ser abandonado por las personas más cercanas:__

_____

_____

ACEPTACIÓN DE «SER PUESTO A PRUEBA»: _____

_____

LISTA DE LOS «FALSOS PROFETAS» A EVITAR:_____

_____

_____

LISTA DE MIS POSIBLES COLABORADORES:_____

_____

_____

_____

PREVISIÓN DE LA EXPANSIÓN QUE PUEDE TOMAR MI MISIÓN:__

_____

_____

_____

_____

Bibliografía

ADRIENNE, Carol, *The Purpose of Your Life,* Eagle Brook, New York 1998 (trad. cast.: *Encuentre su meta en la vida,* Plaza y Janés, Barcelona 1999).

BILLINGTON, Antony et al. (ed.), *Mission and Meaning: Essays Presented to Peter Cotterell,* Paternoster Press, Carlisle (U.K.) 1995.

BOLLES, Richard Nelson, *How to Find Your Mission in Life,* Ten Speed Press, Berkeley 1991.

— *What Color is your Parachute: A Practical Manual for Job-Hunters and Career Changers,* Ten Speed Press, Berkeley 1995.

BREWI, Janice y BRENNAN, Anne, *Mid-Life: Psychological and Spiritual Perspectives,* Crossroad, New York 1982.

BRIDGES, William, *Transitions: Making Sense of Life's Changes,* Addison-Wesley, Menlo Park, CA, 1996.

CAMERON, Julia, *The Vein of Gold: a Journey to Your Creative Heart,* Tarcher/Putnam, New York 1997.

CAMPBELL, Joseph, *The Power of Myth with Bill Moyers,* Doubleday, New York 1998 (trad. cast.: *El poder del mito,* Emecé, Barcelona 1991).

Christus, 170 (mayo 1996): «Pratiques ignatiennes: donner et recevoir les Exercices spirituels». Véase especialmente el capítulo sobre la elección, a partir de la p. 180.

COCHRAN, Larry R., *The Sense of Vocation: A Study of Career and Life Development,* State University of New York Press, Albany 1990.

COELHO, Paulo, *L'Alchimiste,* Anne Carrière, Paris 1994 (trad. cast.: *El alquimista,* Círculo de Lectores, Barcelona 1999).

COVEY, Stephen, *The Seven Habits of Highly Effective People: Restoring the Character Ethic,* Simon and Schuster, New York 1989 (trad. cast.: *Los siete hábitos de la gente altamente efectiva: la revolución ética en la vida cotidiana y en la empresa,* Paidós, Barcelona 1999).

DAUDET, Alphonse, *Lettres de mon moulin,* Nelson Éditeurs, Paris 1942 (trad. cast.: *Cartas desde mi molino,* Espasa-Calpe, Madrid 1982).

ENRIGHT, Robert D. y NORTH, Joanna, *Exploring Forgiveness,* University of Wisconsin Press, Madison 1998.

FRANKL, Viktor, *Découvrir un sens à sa vie avec la logothérapie,* Les Éditions de l'Homme, Montréal 1988.

GENNEP, Arnold van, *The Rites of Passage,* University of Chicago Press, Chicago 1969 (trad. cast.: *Los ritos de paso,* Taurus, Madrid 1986).

HAINEAULT, Pierre, *Comment tirer profit des bouleversements de sa vie,* Quebecor, Outremont 1997.

HILLMAN, James, *The Soul's Code: In Search of Character and Calling,* Warner Books, New York 1997 (trad. cast.: *El código del alma,* Martínez Roca, Barcelona 1998).

JOHNSON, Robert, *He: Understanding Masculine Psychology,* Harper and Row, New York 1974.

JONES, Laurie Beth, *Tous les chemins mènent à soi: l'importance de trouver sa voie,* Le Jour, Montréal 1996.

JUNG, Carl Gustav, *Memories, Dreams and Reflections,* Bantam House, New York 1965 (trad. cast.: *Recuerdos, sueños, pensamientos,* Seix Barral, Barcelona 1996).

KEEN, Sam y VALLEY-FOX, Anne, *Your Mythic Journey: Finding Meaning in Your Life Through Writing and*

Storytelling, Jeremy P. Tarcher, Los Angeles 1989 (trad. cast.: *Su viaje mítico,* Kairós, Barcelona 1993).

KORNFIELD, Jack, *A Path With Heart: A Guide Through the Perils and Promises of Spiritual Life,* Bantam Books, New York 1993 (trad. cast.: *Camino con corazón,* La Liebre de Marzo, Barcelona 1998).

LEVOY, Gregg, *Calling: Finding and Following an Authentic Life,* Harmony Books, New York 1997.

MCCARTHY, Kevin W., *La puissance d'une vision: comment donner un sens à votre vie,* Éditions Un Monde différent, Saint-Hubert 1994.

MCNALLY, David, *Même les aigles ont besoin d'une poussée: sachez prendre votre essor dans un monde en pleine évolution,* Éditions Un Monde différent, St-Hubert 1996.

MENUHIN, Yehudi, *Unfinished Journey,* Futura, London 1975.

MONBOURQUETTE, Jean et al., *Je suis aimable, je suis capable: parcours pour l'estime et l'affirmation de soi,* Novalis, Outremont 1996, sexta parte, capítulo 9.

— *Comment pardonner? Pardonner pour guérir, guérir pour pardonner,* Novalis/Centurion, Outremont/Paris 1992 (trad. cast.: *Cómo perdonar: perdonar para sanar, sanar para perdonar,* Sal Terrae, Santander 1998).

— *Grandir: aimer, perdre et grandir,* Novalis, Outremont 1983.

PACOT, Simone, *L'évangélisation des profondeurs,* Cerf, Paris 1997.

PAUCHANT, Thierry C. et al., *La quête du sens,* Québec/Amérique, Montréal 1996. En especial el artículo de Estelle Morin: «L'efficacité organisationnelle et le sens du travail», pp. 257-288.

ROBBINS, Anthony, *L'eveil de votre puissance intérieure,* Le Jour, Montréal 1993.

ROBERGE, Michelle, *Tant d'hiver au coeur du changement,* Éditions Septembre, Sainte-Foy 1998.

SHER, Barbara, *I Could Do Anything If I Only Knew What It Was: How to Discover What You Really Want and How to Get It,* Delacorte Press, New York 1994.

SPANGLER, David, *The Call,* Riverhead Books, New York 1996.

— *Everyday Miracles: The Inner Art of Manifestation,* Bantam Books, New York 1996.

STEPHAN, Naomi, *Fulfill Your Soul's Purpose: Ten Creative Paths to Your Life Mission,* Stillpoint Publishing, Walpole, NH, 1994.

VIORST, Judith, *Les renoncements nécessaires,* Robert Laffont, Paris 1988 (trad. cast.: *Pérdidas necesarias,* Plaza y Janés, Barcelona 1990).